KB081940

히브리어 쓰기성경

- 시편 (제3권) -

73편 ~ 89편

언약성경연구소

케타브 프로젝트: 히브리어 쓰기성경 – 시편 제3권

발 행 | 2024년 2월 29일
저 자 | 이학재
발행인 | 최현기
편집 · 디자인 | 허동보

등록번호 | 제399-2010-000013호
발행처 | 홀리북클럽
주 소 | 경기도 남양주시 진접읍 내각2로12 (070-4126-3496)

ISBN | 979-11-6107-056-8
가 격 | 15,400원

כתב Project

히브리어쓰기성경

73편 ~ 89편

영·한·히브리어

대역대조 쓰기성경

언약성경연구소

* 본 책에는 맛싸성경(한글), 개역한글(한글), WLC(히브리어), NET(영어) 성경 역본이 사용되었으며,
KoPub 바탕체, KoPub 돋움체, Frank Ruhl Libre, 세방체 폰트가 사용되었습니다.
히브리어 알파벳표, 모음표, 알파벳송 악보는 『왕초보 히브리어 펜습자』(허동보 저) 저자의 동의를 받고 첨부하였습니다.
맛싸성경3은 저자 이학재 교수가 원문성경에서 직접 번역한 번역물로 번역 저작물이 저작권협회에 접수된 개인번역입니다.

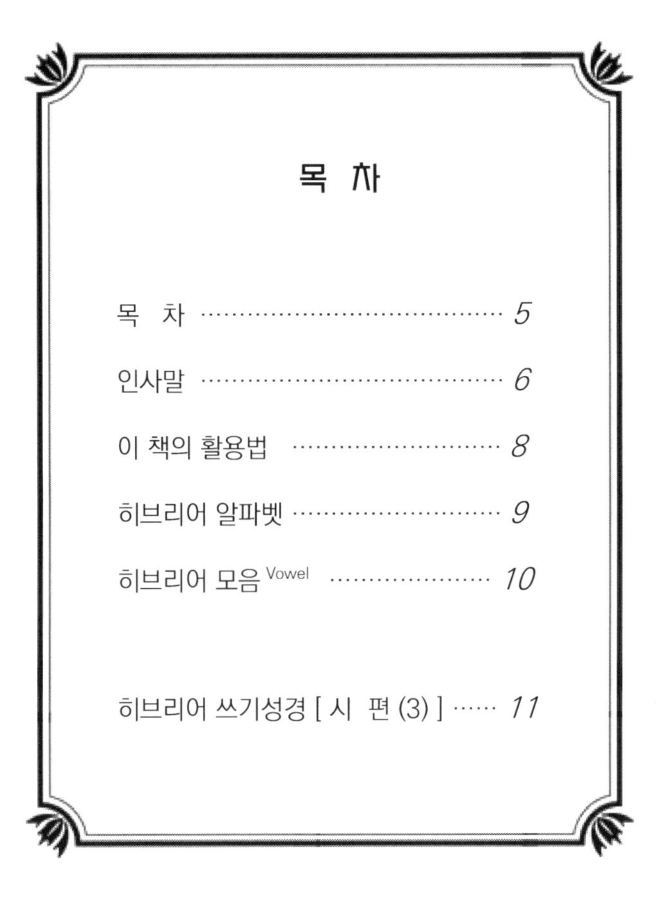

목 차

"시편"은 다윗 왕과 그 외 시인들의 하나님을 향한 기도와 찬양, 고백, 희생에 관한 시들로 이루어져 있습니다. 시편은 총 150편으로 이루어져 있으며, 그 내용과 특성에 따라 다섯 권으로 나눕니다.

· 제1권: 1-41편 · 제2권: 42-72편 · 제3권: 73-89편,
· 제4권: 90-106편 · 제5권: 107-150편

이학재 Lee Hakjae · Covenant University 부총장
· 월간 맛싸 대표 · 맛싸성경 번역자 · 언약성경협회장

성경은 말씀으로 읽고 소리내서 낭독하는 훈련이 필요하다. 또한 성경은 precept, 즉 글로 적은 글이다. 십계명도 하나님께서 적어 주신 것이고 구약성경, 신약성경 모두다 사람들이 손으로 필사하여 전해온 것이다. 특히 시편에서는 하나님의 말씀을 '호크'[규례, 교훈]라고 부르는데 이것은 '하카크' 즉 '새기다, 기록하다'는 의미이다. 성경은 1455년에 라틴어를 출간하기까지 구약은 서기관들에 의해서 두루마리에 필사를 통해서 기록되었고 신약 역시 대문자, 소문자 등을 통해서 손으로 직접 적었다.

이같은 성경은 소리내 읽는 '낭독'과 글로 적는 '호크'[precept]로 기록된 말씀이다. 물론 타자를 치는 필사를 비롯하여 다양한 방법이 있지만, 특히 AI 시대에는 주관성과 개인의 특성을 가진 영성이 품어 나오는 적기 성경 즉 '필사 성경'이 필요하다. 시중에 한글 필사성경, 영어 등은 이미 출판되어 있지만 원문 필사는 아직 나오지 않았다. 원문 필사를 위해서는 원문만 넣을 것이 아니라 한글의 공적성경[개역, 개역개정]과 또한 사역이지만 원문에서 번역한 것이 필요한데 이런 면에서 '맛싸 성경'은 중요한 역할을 할 것이다. 아울러 영역본도 함께 제공되어 원문과 함께 번역본들을 보게 되고 자신의 필사 성경도 각권으로 남게 될 것이다.

성경을 적는다는 것은 참으로 중요하다. 기도하면서 성경에서도 달려가면서도 성경을 읽게 하라는 말씀은 성경에도 기록되어 있다[하박국 2장]. 많은 사람들이 성경을 덮어두거나, '말아 놓았다'. 이제는 적어서 펼쳐 놓아야 한다. 이런 면에서 족자, 액자들 성경 원문 쓰기를 통해서 원문을 보고 묵상하고 더욱 말씀을 가시적으로 보며 그 말씀의 생명력을 가지는 삶을 살아야 할 것이다. 이 모든 것이 '적는 것'[כתב 케타브]에서 시작된다. 이 시리즈는 구약 전권 신약 전권의 '쓰기', '적기'를 출간하는 것으로 생각하고 있다. 매일 일정한 양을 쓰면서 원문을 자유롭게 이해하고 원문의 바른 의미, 성경의 의미를 바르게 이해해서 말씀에 근거를 둔 그러한 건강한 말씀 중심의 삶을 살아가시기를 소원한다.

2023년 8월 10일

허동보 Huh Dongbo · 수현교회 담임목사 · Covenant University 통합과정 중
· 왕초보 히브리어 저자 및 강사

교회 역사는 대부분 이단으로부터 교회를 보호하는 역사였습니다. 사도들과 교부들의 가르침, 공의회를 통한 결정들은 우리 신앙의 선배들이 이단으로부터 교회를 지키고자 목숨까지 걸었던 몸부림이라고 해도 과언이 아닙니다. 그 신념, 그 몸부림의 근거는 바로 성경이었습니다. 하나님의 말씀이자 우리 신앙생활의 원천인 성경은 수천년이 지난 이 시대를 살아가는 우리가 쉽게 읽을 수 있도록 전문가들을 통해 비교적 잘 번역되어 있습니다. 그럼에도 불구하고 말씀을 사랑하고 매일 묵상하는 우리 그리스도인들이 히브리어와 헬라어를 배워야 하는 까닭은 무엇일까요?

첫째로 지금도 교회를 노리고 핍박하는 이들로부터 주님의 몸 된 교회를 지키기 위해서입니다. 아무리 번역이 잘 되었다고 하더라도 해당 언어가 가진 고유의 뉘앙스와 의미를 동일하게 전달하는 것은 불가능합니다. 따라서 우리는 원전을 살펴봄으로써 말씀에 대한 왜곡과 오해를 헤쳐 나가야 합니다. 둘째로 언어의 한계성 때문입니다. 성경이 쓰여지던 시기의 사회적 배경과 문학적 장치들을 더 잘 전달받기 위해서 우리는 히브리어와 헬라어를 배워야 합니다. 우리는 해당 언어를 통해 한글성경에서 느끼기 힘든 시적 운율과 다양한 의미들을 더욱 세밀하게 들여다볼 수 있으며, 이 과정에서 더 큰 은혜를 느낄 수 있습니다. 셋째로 말씀을 사모하기 때문입니다. 다른 언어를 배운다는 것은 쉽지 않습니다. 그 어려움보다 말씀에 대한 사모가 더욱 간절하기에 우리는 기꺼이 시간과 노력을 할애할 수 있습니다. 이는 마치 해리포터를 사랑하는 사람이 영어를 배우고, 톨스토이를 사랑하는 사람이 러시아어를 배우는 것처럼 원전에 더 가까워지고자 하는 욕망은 말씀을 사모하는 이들이라면 거스를 수 없을 것입니다.

이런 관점에서 언약성경협회와 언약성경연구소의 사역은 하나님의 말씀을 열정적으로 소망하는 우리 그리스도인들에게 있어서 꼭 필요한, 그리고 꼭 이루어 나가야 할 사명이 아닌가 합니다. 이에 말씀을 사모하는 많은 분들이 케타브 프로젝트에 동참하길 소망합니다. 아울러 이학재 교수님을 통해 영광스럽게도 편집과 디자인으로 이 프로젝트에 동참하게 된 것에 대해 주님께 감사드립니다.

편집자

히브리어쓰기성경 활용법

이 책의 구조와 활용법에 대해 알려드립니다.

1. 왼쪽 페이지는 히브리어 성경인 WLC역본과 더불어 맛싸성경과 함께 영문역본 NET2를 대조하였습니다.

   - 맛싸성경은 저자 이학재 교수가 원문성경에서 직접 번역한 번역물로 번역 저작물이 저작권협회에 접수된 개인 번역입니다.

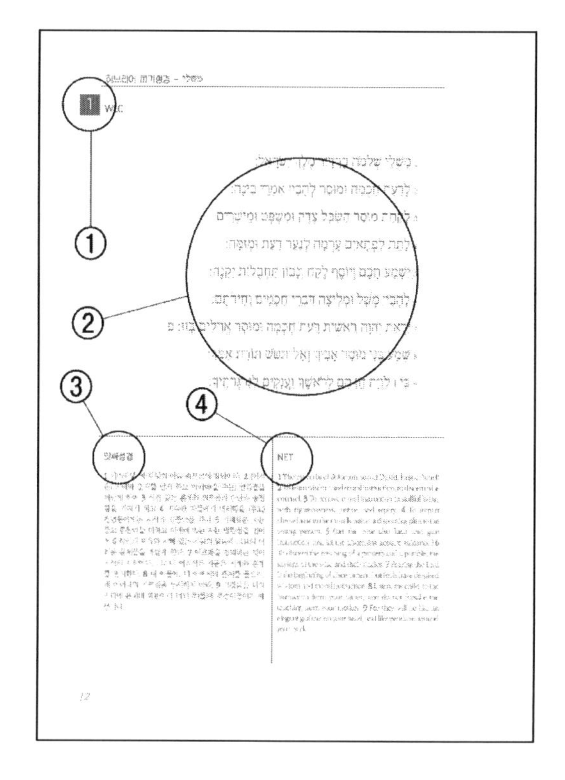

2. 왼쪽 페이지 좌상단에 위치한 숫자는 각 장을 말합니다. 각 절은 본문에 포함되어 있습니다.

   ① 몇 장인지 나타냅니다.
   ② WLC 본문입니다.
   ③ 맛싸성경 본문입니다.
   ④ NET2 본문입니다.

3. 여백을 넉넉히 두어 필사와 함께 성경공부를 위한 노트로 사용할 수 있습니다.

* 히브리어쓰기성경을 통해 하나님의 은혜가 더욱 풍성하고 가득한 신앙의 여정이 되시길 소망합니다.

히브리어 알파벳

형태	이름	꼬리형	형태	이름	꼬리형
א	알렙		מ	멤	ם
ב	베트		נ	눈	ן
ג	기믈		ס	싸멕	
ד	달렛		ע	아인	
ה	헤		פ	페	ף
ו	바브		צ	차디	ץ
ז	자인		ק	코프	
ח	헤트		ר	레쉬	
ט	테트		שׂ	신	
י	요드		שׁ	쉰	
כ	카프	ך	ת	타브	
ל	라메드				

히브리어 알파벳송

히브리어 모음 vowel

	A 아	E 에	I 이	O 오	U 우
장모음	אָ	אֵ		אֹ	
	카메츠	체레		홀렘	
		אֵי	אִי	אוֹ	אוּ
		체레요드	히렉요드	홀렘바브	슈렉
반모음	אֲ	אֱ		אֳ	
	하텝파타	하텝세골		하텝카메츠	
단모음	אַ	אֶ	אִ	אָ	אֻ
	파타	세골	히렉	카메츠하툽	케부츠
		אְ			
		쉐바			
י가 자음으로 쓰일 때	יָ יַ	יֶ יְ יֵ	יִ	יֹ יוֹ	יוּ יֻ
	야	예	이	요	유

히브리어 모음 vowel 은 단순합니다. 아, 에, 이, 오, 우 발음밖에 없습니다. 하지만, 그 형태가 몇 가지 있는데, 장모음, 단모음, 반모음 등으로 나누어집니다. 장모음은 말 그대로 길게 소리를 내는 모음입니다. 단모음은 짧게 소리를 내는 모음입니다. 그러나 현대에는 장 · 단모음과 반모음을 크게 구분하여 사용하지는 않는다고 합니다. 다만, :쉐바 발음은 조금 주의가 필요합니다. :쉐바는 '에' 발음일 때도 있지만, 묵음이 되는 경우도 있기 때문입니다.

제 3 권

73 편 ~ 89 편

73 WLC

1 מִזְמוֹר לְאָסָף אַךְ טוֹב לְיִשְׂרָאֵל אֱלֹהִים לְבָרֵי לֵבָב׃

2 וַאֲנִי כִּמְעַט [נָטוּי כ] (נָטָיוּ ק) רַגְלָי כְּאַיִן [שֻׁפְּכָה כ] (שֻׁפְּכוּ ק) אֲשֻׁרָי׃

3 כִּי־קִנֵּאתִי בַּהוֹלְלִים שְׁלוֹם רְשָׁעִים אֶרְאֶה׃

4 כִּי אֵין חַרְצֻבּוֹת לְמוֹתָם וּבָרִיא אוּלָם׃

5 בַּעֲמַל אֱנוֹשׁ אֵינֵמוֹ וְעִם־אָדָם לֹא יְנֻגָּעוּ׃

6 לָכֵן עֲנָקַתְמוֹ גַאֲוָה יַעֲטָף־שִׁית חָמָס לָמוֹ׃

7 יָצָא מֵחֵלֶב עֵינֵמוֹ עָבְרוּ מַשְׂכִּיּוֹת לֵבָב׃

8 יָמִיקוּ ׀ וִידַבְּרוּ בְרָע עֹשֶׁק מִמָּרוֹם יְדַבֵּרוּ׃

9 שַׁתּוּ בַשָּׁמַיִם פִּיהֶם וּלְשׁוֹנָם תִּהֲלַךְ בָּאָרֶץ׃

맛싸성경

1 [아삽의 시] 참으로 하나님은 이스라엘에게 좋으시며 마음이 정결한 자들에게도 (좋으시나이다). 2 그러나 나는 내 발이 거의 미끄러지고 나의 걸음은 거의 넘어졌도다. 3 이는 내가 거만한 자들에 (대해) 시기하였으며 사악한 자들의 평안을 보았음이라. 4 이는 그들의 죽음에 고통(들)이 없고 그들의 배는 기름기가 있음이라. 5 그들은 인간의 고난에 있지 않으며(경험하지 않으며) 사람과 함께 그들은 고통을 당하지 않는도다. 6 그러므로 오만함이 그들의 목걸이이고 폭력이 옷처럼 그들을 덮었도다. 7 그들의 눈들은 (살찐) 비만에서 나오며(피둥피둥하며) 마음의 상상력을 지나치도다. 8 그들은 조소하고 악하게 압제를 언급하고(말하며) 교만하게 말하도다. 9 그들은 그(들의) 입을 하늘에 두고 그(들의) 혀는 땅에 돌아다니도다.

NET

1 A psalm by Asaph. Certainly God is good to Israel, and to those whose motives are pure. 2 But as for me, my feet almost slipped; my feet almost slid out from under me. 3 For I envied those who are proud, as I observed the prosperity of the wicked. 4 For they suffer no pain; their bodies are strong and well fed. 5 They are immune to the trouble common to men; they do not suffer as other men do. 6 Arrogance is their necklace, and violence covers them like clothing. 7 Their prosperity causes them to do wrong; their thoughts are sinful. 8 They mock and say evil things; they proudly threaten violence. 9 They speak as if they rule in heaven, and lay claim to the earth.

73 WLC

10 לָכֵן ׀ [יָשִׁיב כ] (יָשׁוּב ק) עַמּוֹ הֲלֹם וּמֵי מָלֵא יִמָּצוּ לָמוֹ׃

11 וְאָמְרוּ אֵיכָה יָדַע־אֵל וְיֵשׁ דֵּעָה בְעֶלְיוֹן׃

12 הִנֵּה־אֵלֶּה רְשָׁעִים וְשַׁלְוֵי עוֹלָם הִשְׂגּוּ־חָיִל׃

13 אַךְ־רִיק זִכִּיתִי לְבָבִי וָאֶרְחַץ בְּנִקָּיוֹן כַּפָּי׃

14 וָאֱהִי נָגוּעַ כָּל־הַיּוֹם וְתוֹכַחְתִּי לַבְּקָרִים׃

15 אִם־אָמַרְתִּי אֲסַפְּרָה כְמוֹ הִנֵּה דוֹר בָּנֶיךָ בָגָדְתִּי׃

16 וָאֲחַשְּׁבָה לָדַעַת זֹאת עָמָל [הִיא כ] (הוּא ק) בְעֵינָי׃

17 עַד־אָבוֹא אֶל־מִקְדְּשֵׁי־אֵל אָבִינָה לְאַחֲרִיתָם׃

18 אַךְ בַּחֲלָקוֹת תָּשִׁית לָמוֹ הִפַּלְתָּם לְמַשּׁוּאוֹת׃

19 אֵיךְ הָיוּ לְשַׁמָּה כְרָגַע סָפוּ תַמּוּ מִן־בַּלָּהוֹת׃

맛싸성경

10 그러므로 그 백성이 여기로 돌아와서 가득 찬 물을 그들에 의해서 다 마셔지도다(빠져졌다). **11** 그리고 그들은 "어떻게 하나님이 아시겠느냐? 가장 높으신 분에게 지식이 있는가?"라고 말한다. **12** 보라. 이들은 사악한 자들이나 영원히 평안하고 재산은 늘어나도다. **13** 참으로 내가 나의 마음을 정결하게 한 것이 무익한 일이며 내가 결백으로 내 손을 씻은 것도 (그러하도다). **14** 나는 온종일 재앙을 당하며 매일 아침마다 나는 책망을 받았도다. **15** 만일 "내가 그(들과) 같이 선포할 것이라"고 말하였으면 보라. 내가 주의 아들들의 세대를 배신한 것이라. **16** 그러나 나는 이것을 알려고(이해하려고) 생각했을 때 그것은 내 눈에 고통이었으며 **17** 내가 하나님의 성소로 들어갔을 때에야 내가 그들의 마지막을 생각하였도다. **18** 참으로 주께서 그들을 미끄러운 곳에 두셔서 그들을 멸망으로 떨어지게 하셨도다. **19** 어떻게 그들이 갑자기 멸망되었는지 그들은 공포로부터 끝나서 멸망당하였도다.

NET

10 Therefore they have more than enough food to eat and even suck up the water of the sea. **11** They say, "How does God know what we do? Is the Most High aware of what goes on?" **12** Take a good look. This is what the wicked are like, those who always have it so easy and get richer and richer. **13** I concluded, "Surely in vain I have kept my motives pure and maintained a pure lifestyle. **14** I suffer all day long and am punished every morning." **15** If I had publicized these thoughts, I would have betrayed your people. **16** When I tried to make sense of this, it was troubling to me. **17** Then I entered the precincts of God's temple and understood the destiny of the wicked. **18** Surely you put them in slippery places; you bring them down to ruin. **19** How desolate they become in a mere moment. Terrifying judgments make their demise complete.

73 WLC

20 כַּחֲלוֹם מֵהָקִיץ אֲדֹנָי בָּעִיר ׀ צַלְמָם תִּבְזֶה׃

21 כִּי יִתְחַמֵּץ לְבָבִי וְכִלְיוֹתַי אֶשְׁתּוֹנָן׃

22 וַאֲנִי־בַעַר וְלֹא אֵדָע בְּהֵמוֹת הָיִיתִי עִמָּךְ׃

23 וַאֲנִי תָמִיד עִמָּךְ אָחַזְתָּ בְּיַד־יְמִינִי׃

24 בַּעֲצָתְךָ תַנְחֵנִי וְאַחַר כָּבוֹד תִּקָּחֵנִי׃

25 מִי־לִי בַשָּׁמָיִם וְעִמְּךָ לֹא־חָפַצְתִּי בָאָרֶץ׃

26 כָּלָה שְׁאֵרִי וּלְבָבִי צוּר־לְבָבִי וְחֶלְקִי אֱלֹהִים לְעוֹלָם׃

27 כִּי־הִנֵּה רְחֵקֶיךָ יֹאבֵדוּ הִצְמַתָּה כָּל־זוֹנֶה מִמֶּךָּ׃

28 וַאֲנִי ׀ קִרֲבַת אֱלֹהִים לִי־טוֹב שַׁתִּי ׀ בַּאדֹנָי יְהוִה מַחְסִי לְסַפֵּר כָּל־מַלְאֲכוֹתֶיךָ׃

맛싸성경

20 주님이시여! 한 사람이 깨어났을 때 꿈같이 (주께서) 깨실 때 주는 그들의 형상을 멸시하시리이다. 21 이는 내 마음이 씁쓸하고 내 신장이 찔렸나이다. 22 그러나 나는 멍청하고 알지 못하여 주 앞에서(함께) 짐승과 같나이다. 23 그러나 나는 항상 주와 함께 있으니 주께서 내 오른손을 붙드시나이다. 24 주의 교훈으로 나를 인도하시고 그 후에는 주께서 영광으로 나를 받아주실 것이라. 25 하늘에 (주 외에) 누가 내게 있겠나이까? 땅에서도 주와 함께 있는 것 외에 내가 기뻐하는 것이 없나이다. 26 내 육체와 내 마음이 다하여도(쇠잔해도) 하나님은 내 마음의 반석이시며 영원한 내 상속이시나이다. 27 이는 보소서, 주께 멀리 있는 자들은 멸망당할 것이며 주께 음란을 행하는 모든 자들은 주께서 파멸하시나이다. 28 그러나 나는 하나님과 가까이 있는 것이 내게 좋으니 나는 내 피난처를 주님 여호와 안에 두어 주의 모든 행하심을 선포하려고 하나이다.

NET

20 They are like a dream after one wakes up. O Lord, when you awake you will despise them. 21 Yes, my spirit was bitter, and my insides felt sharp pain. 22 I was ignorant and lacked insight; I was as senseless as an animal before you. 23 But I am continually with you; you hold my right hand. 24 You guide me by your wise advice, and then you will lead me to a position of honor. 25 Whom do I have in heaven but you? On earth there is no one I desire but you. 26 My flesh and my heart may grow weak, but God always protects my heart and gives me stability. 27 Yes, look! Those far from you die; you destroy everyone who is unfaithful to you. 28 But as for me, God's presence is all I need. I have made the Sovereign Lord my shelter, as I declare all the things you have done.

74 WLC

1 מַשְׂכִּיל לְאָסָף לָמָה אֱלֹהִים זָנַחְתָּ לָנֶצַח יֶעְשַׁן אַפְּךָ בְּצֹאן מַרְעִיתֶךָ׃

2 זְכֹר עֲדָתְךָ ׀ קָנִיתָ קֶּדֶם גָּאַלְתָּ שֵׁבֶט נַחֲלָתֶךָ הַר־צִיּוֹן זֶה ׀ שָׁכַנְתָּ בּוֹ׃

3 הָרִימָה פְעָמֶיךָ לְמַשֻּׁאוֹת נֶצַח כָּל־הֵרַע אוֹיֵב בַּקֹּדֶשׁ׃

4 שָׁאֲגוּ צֹרְרֶיךָ בְּקֶרֶב מוֹעֲדֶךָ שָׂמוּ אוֹתֹתָם אֹתוֹת׃

5 יִוָּדַע כְּמֵבִיא לְמָעְלָה בִּסֲבָךְ־עֵץ קַרְדֻּמּוֹת׃

6 [וְעֵת כ] (וְעַתָּה ק) פִּתּוּחֶיהָ יָּחַד בְּכַשִּׁיל וְכֵילַפֹּת יַהֲלֹמוּן׃

7 שִׁלְחוּ בָאֵשׁ מִקְדָּשֶׁךָ לָאָרֶץ חִלְּלוּ מִשְׁכַּן־שְׁמֶךָ׃

맛싸성경

1 [아삽의 마스길] 하나님이시여! 어찌하여 주께서 영원히 버리시나이까? 주의 초장(에 있는) 양들을 향해서 주의 진노로 연기를 내시나이까? 2 주께서 오래전에 사신 자들이며 주께서 구속하시고 주의 유산의 지파가 되게 하신 주의 회중을 기억하소서. 주께서 그곳에 거하시는 시온산도 (그리하소서). 3 영원히 파괴된 곳으로 주의 발걸음들을 높이소서. 원수가 성소에서 모든 것을 악하게 대하였나이다. 4 주의 적들은 주의 모임의 장소 가운데에서 고함쳤고(으르렁거렸고) 그들은 자기 표적을 표적으로 세웠나이다. 5 그들은 우거진 나무에 도끼를 위로 가져오는 자(벌목꾼) 같았나이다. 6 이제 그들은 그(성소) 안에 있는 나무 조각(조각품)들을 도끼와 쇠망치로 부수었나이다. 7 주의 성소에 불을 붙이고 주의 이름이 거하시는 곳을 땅바닥으로 (떨어뜨려) 모독하였나이다.

NET

1 A well-written song by Asaph. Why, O God, have you permanently rejected us? Why does your anger burn against the sheep of your pasture? 2 Remember your people whom you acquired in ancient times, whom you rescued so they could be your very own nation, as well as Mount Zion, where you dwell. 3 Hurry to the permanent ruins, and to all the damage the enemy has done to the temple. 4 Your enemies roar in the middle of your sanctuary; they set up their battle flags. 5 They invade like lumberjacks swinging their axes in a thick forest. 6 And now they are tearing down all its engravings with axes and crowbars. 7 They set your sanctuary on fire; they desecrate your dwelling place by knocking it to the ground.

74 WLC

8 אָמְרוּ בְלִבָּם נִינָם יָחַד שָׂרְפוּ כָל־מוֹעֲדֵי־אֵל בָּאָרֶץ׃

9 אוֹתֹתֵינוּ לֹא רָאִינוּ אֵין־עוֹד נָבִיא וְלֹא־אִתָּנוּ יֹדֵעַ עַד־מָה׃

10 עַד־מָתַי אֱלֹהִים יְחָרֶף צָר יְנָאֵץ אוֹיֵב שִׁמְךָ לָנֶצַח׃

11 לָמָּה תָשִׁיב יָדְךָ וִימִינֶךָ מִקֶּרֶב [חוֹקְךָ כ] (חֵיקְךָ ק) כַּלֵּה׃

12 וֵאלֹהִים מַלְכִּי מִקֶּדֶם פֹּעֵל יְשׁוּעוֹת בְּקֶרֶב הָאָרֶץ׃

13 אַתָּה פוֹרַרְתָּ בְעָזְּךָ יָם שִׁבַּרְתָּ רָאשֵׁי תַנִּינִים עַל־הַמָּיִם׃

14 אַתָּה רִצַּצְתָּ רָאשֵׁי לִוְיָתָן תִּתְּנֶנּוּ מַאֲכָל לְעָם לְצִיִּים׃

15 אַתָּה בָקַעְתָּ מַעְיָן וָנָחַל אַתָּה הוֹבַשְׁתָּ נַהֲרוֹת אֵיתָן׃

맛싸성경

8 그(들의) 마음속으로 "우리가 그들을 다 같이 제압하자."라고 그들은 말하며 땅에서 하나님의 모이는 모든 곳(회당)을 태웠나이다. **9** 우리는 우리들의 (기적의) 표적을 보지 못하고 선지자도 더 이상 없으며 우리 중에는 (이 일이) 언제까지인지 아는 자도 없나이다. **10** 하나님이시여! 언제까지 대적이 비웃겠으며 원수가 영영히 주의 이름을 무례히 대하나이까? **11** 어찌하여 주의 손과 주의 오른손을 놓고 계시나이까? 주의 품에서부터 (손을 빼사) 끝내소서. **12** (그럼에도) 하나님은 오래전부터 나의 왕이시며 땅 가운데 구원을 행하시는 분이시나이다. **13** 주께서 주의 힘으로 바다를 휘저으시고 물에서 바다 괴물들의 머리(들)를 박살내셨나이다. **14** 주께서 리버야탄의 머리(들)를 쳐부수시고 그것을 사람과 들짐승들에게 음식으로 주셨나이다. **15** 주께서 샘과 강물을 쪼개시고 주께서 계속해서 흐르는 강들을 마르게 하셨나이다.

NET

8 They say to themselves, "We will oppress all of them." They burn down all the places in the land where people worship God. **9** We do not see any signs of God's presence; there are no longer any prophets, and we have no one to tell us how long this will last. **10** How long, O God, will the adversary hurl insults? Will the enemy blaspheme your name forever? **11** Why do you remain inactive? Intervene and destroy him. **12** But God has been my king from ancient times, performing acts of deliverance on the earth. **13** You destroyed the sea by your strength; you shattered the heads of the sea monster in the water. **14** You crushed the heads of Leviathan; you fed him to the people who live along the coast. **15** You broke open the spring and the stream; you dried up perpetually flowing rivers.

74 WLC

16 לְךָ יוֹם אַף־לְךָ לָיְלָה אַתָּה הֲכִינוֹתָ מָאוֹר וָשָׁמֶשׁ׃

17 אַתָּה הִצַּבְתָּ כָּל־גְּבוּלוֹת אָרֶץ קַיִץ וָחֹרֶף אַתָּה יְצַרְתָּם׃

18 זְכָר־זֹאת אוֹיֵב חֵרֵף ׀ יְהוָה וְעַם נָבָל נִאֲצוּ שְׁמֶךָ׃

19 אַל־תִּתֵּן לְחַיַּת נֶפֶשׁ תּוֹרֶךָ חַיַּת עֲנִיֶּיךָ אַל־תִּשְׁכַּח לָנֶצַח׃

20 הַבֵּט לַבְּרִית כִּי מָלְאוּ מַחֲשַׁכֵּי־אֶרֶץ נְאוֹת חָמָס׃

21 אַל־יָשֹׁב דַּךְ נִכְלָם עָנִי וְאֶבְיוֹן יְהַלְלוּ שְׁמֶךָ׃

22 קוּמָה אֱלֹהִים רִיבָה רִיבֶךָ זְכֹר חֶרְפָּתְךָ מִנִּי־נָבָל כָּל־הַיּוֹם׃

23 אַל־תִּשְׁכַּח קוֹל צֹרְרֶיךָ שְׁאוֹן קָמֶיךָ עֹלֶה תָמִיד׃

맛싸성경

16 낮도 주의 것이며 또한 밤도 주의 것이니 주께서 빛과 태양을 세우셨나이다. **17** 주께서 땅의 모든 경계를 세우셨으며 여름과 겨울을 주께서 지으셨나이다. **18** 이것을 기억하소서. 원수가 여호와를 비웃으며 미련한 백성들이 주의 이름을 무례히 대하였나이다. **19** 주의 산비둘기의 생명을 들짐승에게 주지 마시고 주의 가난한 자의 생명을 영영히 잊지 마소서. **20** 언약을 존중하소서. 이는 땅의 어두운 곳에는 폭력의 지역이 가득함이니이다. **21** 눌린 자가 수치를 당하여 되돌아가지 않게 하시고 가난하고 궁핍한 자가 주의 이름을 찬양하게 하소서. **22** 하나님이시여! 일어나셔서 주의 소송을 소송하시고 온종일 미련한 자로부터 오는 주에 대한 치욕을 기억하소서. **23** 주의 대적들의 소리를 잊지 마소서. 주를 대하여 일어난 자들의 소란이 올라가나이다.

NET

16 You established the cycle of day and night; you put the moon and sun in place. **17** You set up all the boundaries of the earth; you created the cycle of summer and winter. **18** Remember how the enemy hurls insults, O Lord, and how a foolish nation blasphemes your name. **19** Do not hand the life of your dove over to a wild animal. Do not continue to disregard the lives of your oppressed people. **20** Remember your covenant promises, for the dark regions of the earth are full of places where violence rules. **21** Do not let the afflicted be turned back in shame. Let the oppressed and poor praise your name. **22** Rise up, O God. Defend your honor. Remember how fools insult you all day long. **23** Do not disregard what your enemies say or the unceasing shouts of those who defy you.

75 WLC

1 לַמְנַצֵּחַ אַל־תַּשְׁחֵת מִזְמוֹר לְאָסָף שִׁיר׃

2 הוֹדִינוּ לְּךָ ׀ אֱלֹהִים הוֹדִינוּ וְקָרוֹב שְׁמֶךָ סִפְּרוּ נִפְלְאוֹתֶיךָ׃

3 כִּי אֶקַּח מוֹעֵד אֲנִי מֵישָׁרִים אֶשְׁפֹּט׃

4 נְמֹגִים אֶרֶץ וְכָל־יֹשְׁבֶיהָ אָנֹכִי תִכַּנְתִּי עַמּוּדֶיהָ סֶּלָה׃

5 אָמַרְתִּי לַהוֹלְלִים אַל־תָּהֹלּוּ וְלָרְשָׁעִים אַל־תָּרִימוּ קָרֶן׃

6 אַל־תָּרִימוּ לַמָּרוֹם קַרְנְכֶם תְּדַבְּרוּ בְצַוָּאר עָתָק׃

맛싸성경

(히, 75:1) [지휘자를 위하여 알 타셔헷(너는 파괴하지 마라)에 맞춘 노래. 아삽의 시] **1(2)** 하나님이시여! 우리가 주를 찬양하고 찬양하니 주의 이름이 가까이 있음이니이다. 그들이(사람들이) 주의 놀라운 일들을 선포하나이다. **2(3)** "이는 내가 때를 잡아서 올바르게 심판할 것이라. **3(4)** 땅과 거기에 사는 모든 자들이 흔들릴 것이나 (그때) 내가 그 기둥들을 바르게 세울 것이라. 셀라. **4(5)** 내가 얼빠진 자들에게는 '너희는 어리석게 행하지 마라.'고 하고 사악한 자들에게는 '(너희) 뿔을 들지 마라.'고 말하였도다. **5(6)** 너희는 너희 뿔을 하늘로 들지 마라. 너희는 곧은 목으로 교만히 말하지 마라."

NET

1(H 75:1) For the music director, according to the al-tashcheth style; a psalm of Asaph, a song. **(2)** We give thanks to you, O God. We give thanks. You reveal your presence; people tell about your amazing deeds. **2(3)** God says, "At the appointed times, I judge fairly. **3(4)** When the earth and all its inhabitants dissolve in fear, I make its pillars secure." (Selah) **4(5)** I say to the proud, "Do not be proud," and to the wicked, "Do not be so confident of victory. **5(6)** Do not be so certain you have won. Do not speak with your head held so high.

75 WLC

7 כִּי לֹא מִמּוֹצָא וּמִמַּעֲרָב וְלֹא מִמִּדְבַּר הָרִים׃

8 כִּי־אֱלֹהִים שֹׁפֵט זֶה יַשְׁפִּיל וְזֶה יָרִים׃

9 כִּי כוֹס בְּיַד־יְהוָה וְיַיִן חָמַר ׀ מָלֵא מֶסֶךְ וַיַּגֵּר מִזֶּה אַךְ־שְׁמָרֶיהָ

יִמְצוּ יִשְׁתּוּ כֹּל רִשְׁעֵי־אָרֶץ׃

10 וַאֲנִי אַגִּיד לְעֹלָם אֲזַמְּרָה לֵאלֹהֵי יַעֲקֹב׃

11 וְכָל־קַרְנֵי רְשָׁעִים אֲגַדֵּעַ תְּרוֹמַמְנָה קַרְנוֹת צַדִּיק׃

맛싸성경

6(히, 75:7) 이는 높이는 것은 동쪽에서도 아니고 서쪽에서도 (아니고) 광야에서도 아니고 **7(8)** 오직 하나님이 재판하시는 분이시니 그분이 이 사람을 낮추시며 저 사람을 높이시기 때문이라. **8(9)** 이는 잔은 여호와의 손에 있어서 포도주는 발효되고 섞은 것이 가득하여 그분이 그 잔에 따르시니 참으로 세상의 모든 사악한 자들은 그 찌꺼기까지 짜서 마실 것이라. **9(10)** 그러나 나는 야곱의 하나님을 영원히 선포하며 노래할 것이라. **10(11)** 사악한 자들의 모든 뿔들은 자를 것이나 의인의 뿔들은 높아질 것이라.

NET

6(H 75:7) For victory does not come from the east or west, or from the wilderness. **7(8)** For God is the judge. He brings one down and exalts another. **8(9)** For the Lord holds in his hand a cup full of foaming wine mixed with spices, and pours it out. Surely all the wicked of the earth will slurp it up and drink it to its very last drop." **9(10)** As for me, I will continually tell what you have done; I will sing praises to the God of Jacob. **10(11)** God says, "I will bring down all the power of the wicked; the godly will be victorious."

76 WLC

1 לַמְנַצֵּחַ בִּנְגִינֹת מִזְמוֹר לְאָסָף שִׁיר׃

2 נוֹדָע בִּיהוּדָה אֱלֹהִים בְּיִשְׂרָאֵל גָּדוֹל שְׁמוֹ׃

3 וַיְהִי בְשָׁלֵם סֻכּוֹ וּמְעוֹנָתוֹ בְצִיּוֹן׃

4 שָׁמָּה שִׁבַּר רִשְׁפֵי־קָשֶׁת מָגֵן וְחֶרֶב וּמִלְחָמָה סֶלָה׃

5 נָאוֹר אַתָּה אַדִּיר מֵהַרְרֵי־טָרֶף׃

6 אֶשְׁתּוֹלְלוּ ׀ אַבִּירֵי לֵב נָמוּ שְׁנָתָם וְלֹא־מָצְאוּ
כָל־אַנְשֵׁי־חַיִל יְדֵיהֶם׃

7 מִגַּעֲרָתְךָ אֱלֹהֵי יַעֲקֹב נִרְדָּם וְרֶכֶב וָסוּס׃

맛싸성경

(히, 76:1) [지휘자를 위하여 현악에 맞춘 아삽의 시. 노래] **1(2)** 하나님은 유다에 알려지셨고 그분의 이름은 이스라엘에서 크시도다. **2(3)** 그분의 장막은 샬렘에 있고 그분의 거처는 시온에 있도다. **3(4)** 거기에서 그분은 활의 화살과 방패와 칼과 전쟁의 (무기들)을 부수셨도다. 쎌라. **4(3)** 주는 먹거리 있는 산(들)보다 더 빛나고 위엄이 있나이다. **5(6)** 마음이 강한 자들도 약탈을 당했고 그들은 그들의 잠에 빠졌으며 모든 힘 있는 사람들은 그들의 (도움의) 손을 찾지 못하였나이다. **6(7)** 야곱의 하나님이여! 주의 책망으로 병거와 말이 깊은 잠에 빠졌나이다.

NET

1(H 76:1) For the music director, to be accompanied by stringed instruments; a psalm of Asaph, a song. **(2)** God has revealed himself in Judah; in Israel his reputation is great. **2(3)** He lives in Salem; he dwells in Zion. **3(4)** There he shattered the arrows, the shield, the sword, and the rest of the weapons of war. (Selah) **4(5)** You shine brightly and reveal your majesty, as you descend from the hills where you killed your prey. **5(6)** The bravehearted were plundered; they "fell asleep." All the warriors were helpless. **6(7)** At the sound of your battle cry, O God of Jacob, both rider and horse "fell asleep."

76 WLC

8 אַתָּה ׀ נוֹרָא אַתָּה וּמִי־יַעֲמֹד לְפָנֶיךָ מֵאָז אַפֶּךָ׃

9 מִשָּׁמַיִם הִשְׁמַעְתָּ דִּין אֶרֶץ יָרְאָה וְשָׁקָטָה׃

10 בְּקוּם־לַמִּשְׁפָּט אֱלֹהִים לְהוֹשִׁיעַ כָּל־עַנְוֵי־אֶרֶץ סֶלָה׃

11 כִּי־חֲמַת אָדָם תּוֹדֶךָּ שְׁאֵרִית חֵמֹת תַּחְגֹּר׃

12 נִדְרוּ וְשַׁלְּמוּ לַיהוָה אֱלֹהֵיכֶם כָּל־סְבִיבָיו יוֹבִילוּ שַׁי לַמּוֹרָא׃

13 יִבְצֹר רוּחַ נְגִידִים נוֹרָא לְמַלְכֵי־אָרֶץ׃

맛싸성경

7(히, 76:8) 주 곧 주만 두려워하여야 할 분이시니 주가 노를 내시면 누가 주 앞에 설 수 있나이까? **8(9)** 주는 하늘에서부터 판단하시니 땅은 두려워하고 평온하나니 **9(10)** 하나님께서 심판을 위해 일어서시며 땅의 모든 낮은 자들을 구원하실 때로다. 셀라. **10(11)** 참으로 사람의 진노는 주를 찬양할 것이며 주는 찬양하지 않은 나머지 진노들은 주께서 매게(억제하게) 하실 것이라. **11(12)** 너희는 너희 하나님 여호와께 서원을 하고 이행하여라. 그분의 주위에 있는 모든 자들로 두려워할 분에게 예물을 가져오게 하라. **12(13)** 그분은 통치자들의 영을 낮추시니 땅의 왕들에게 두려워할 분이시도다.

NET

7(H 76:8) You are awesome! Yes, you! Who can withstand your intense anger? **8(9)** From heaven you announced what their punishment would be. The earth was afraid and silent **9(10)** when God arose to execute judgment, and to deliver all the oppressed of the earth. (Selah) **10(11)** Certainly your angry judgment upon men will bring you praise; you reveal your anger in full measure. **11(12)** Make vows to the Lord your God and repay them. Let all those who surround him bring tribute to the awesome one. **12(13)** He humbles princes; the kings of the earth regard him as awesome.

77 WLC

1 לַמְנַצֵּחַ עַל־[יְדִיתוּן כ] (יְדוּתוּן ק) לְאָסָף מִזְמוֹר׃

2 קוֹלִי אֶל־אֱלֹהִים וְאֶצְעָקָה קוֹלִי אֶל־אֱלֹהִים וְהַאֲזִין אֵלָי׃

3 בְּיוֹם צָרָתִי אֲדֹנָי דָּרָשְׁתִּי יָדִי ׀ לַיְלָה נִגְּרָה וְלֹא תָפוּג מֵאֲנָה הִנָּחֵם נַפְשִׁי׃

4 אֶזְכְּרָה אֱלֹהִים וְאֶהֱמָיָה אָשִׂיחָה ׀ וְתִתְעַטֵּף רוּחִי סֶלָה׃

맛싸성경

(히, 77:1) [지휘자를 위한 여두툰에 맞춘 아삽의 시] 1(2) 내 음성이 하나님께 그리고 내가 내 음성으로 하나님께 부르짖었더니 주께서 내게 귀 기울이셨도다. 2(3) 나의 고난의 날에 내가 주를 찾았고 밤에 내 손을 뻗었으나 내 손은 피곤치 않았도다. 내 영혼이 위로받기를 거절하였도다. 3(4) 내가 하나님을 기억하고 소리를 냈으며 탄식하였고 내 영은 약해졌도다. 셀라.

NET

1(H 77:1) For the music director, Jeduthun; a psalm of Asaph. (2) I will cry out to God and call for help. I will cry out to God and he will pay attention to me. 2(3) In my time of trouble I sought the Lord. I kept my hand raised in prayer throughout the night. I refused to be comforted. 3(4) I said, "I will remember God while I groan; I will think about him while my strength leaves me." (Selah)

77 WLC

5 אָחַזְתָּ שְׁמֻרוֹת עֵינָי נִפְעַמְתִּי וְלֹא אֲדַבֵּר׃

6 חִשַּׁבְתִּי יָמִים מִקֶּדֶם שְׁנוֹת עוֹלָמִים׃

7 אֶזְכְּרָה נְגִינָתִי בַּלָּיְלָה עִם־לְבָבִי אָשִׂיחָה וַיְחַפֵּשׂ רוּחִי׃

8 הַלְעוֹלָמִים יִזְנַח ׀ אֲדֹנָי וְלֹא־יֹסִיף לִרְצוֹת עוֹד׃

9 הֶאָפֵס לָנֶצַח חַסְדּוֹ גָּמַר אֹמֶר לְדֹר וָדֹר׃

10 הֲשָׁכַח חַנּוֹת אֵל אִם־קָפַץ בְּאַף רַחֲמָיו סֶלָה׃

맛싸성경

4(히, 77:5) 주께서 내 눈 꺼풀을 붙드시니 나는 잠을 못 자며 말할 수가 없나이다. **5(6)** 내가 옛적의 날들과 오래전 해들을 생각하였나이다. **6(7)** 나는 밤에 내 노래를 기억하고 내 마음으로 탄식하였고 내 영은 찾았나이다. **7(8)** "주께서 영원히 우리를 거절하시며 다시는 기뻐하지(은혜를 베풀지) 않으실 것인가? **8(9)** 그분의 인애가 영영히 끝났으며 그분의 말씀(약속)이 세대와 세대로 끝나게 되었는가? **9(10)** 하나님께서 은혜 베푸시기를 잊으셨으며 진노로 인해서 그분의 긍휼을 닫아버리셨는가?" 셀라.

NET

4(H 77:5) You held my eyelids open; I was troubled and could not speak. **5(6)** I thought about the days of old, about ancient times. **6(7)** I said, "During the night I will remember the song I once sang; I will think very carefully." I tried to make sense of what was happening. **7(8)** I asked, "Will the Lord reject me forever? Will he never again show me his favor? **8(9)** Has his loyal love disappeared forever? Has his promise failed forever? **9(10)** Has God forgotten to be merciful? Has his anger stifled his compassion?" (Selah)

77 WLC

11 וָאֹמַר חַלּוֹתִי הִיא שְׁנוֹת יְמִין עֶלְיוֹן׃

12 [אַזְכִּיר כ] (אֶזְכּוֹר ק) מַעַלְלֵי־יָהּ כִּי־אֶזְכְּרָה מִקֶּדֶם פִּלְאֶךָ׃

13 וְהָגִיתִי בְכָל־פָּעֳלֶךָ וּבַעֲלִילוֹתֶיךָ אָשִׂיחָה׃

14 אֱלֹהִים בַּקֹּדֶשׁ דַּרְכֶּךָ מִי־אֵל גָּדוֹל כֵּאלֹהִים׃

15 אַתָּה הָאֵל עֹשֵׂה פֶלֶא הוֹדַעְתָּ בָעַמִּים עֻזֶּךָ׃

16 גָּאַלְתָּ בִּזְרוֹעַ עַמֶּךָ בְּנֵי־יַעֲקֹב וְיוֹסֵף סֶלָה׃

맛싸성경

10(히, 77:11) 나는 말했도다. "이것이 내 연약함이나 그러나 나는 가장 높으신 분의 오른손의 해들을 기억할 것이라." **11(12)** 나는 여호와의 행하심을 기억하리니 이는 옛날부터 주의 기적을 기억함이라. **12(13)** 주의 모든 일을 중얼거리며(묵상하며) 주의 행하신 일에 대해서 내가 묵상하나이다. **13(14)** 하나님이시여! 주의 길은 거룩한 곳에 있으니 하나님같이 크신 신이 누구겠나이까? **14(15)** 주는 기적을 행하시는 하나님이시고 주는 백성들 중에서 주의 힘을 알게 하셨나이다. **15(16)** 주는 주의 팔로 백성 (곧) 야곱과 요셉의 자손들을 구속하셨나이다.

NET

10(H 77:11) Then I said, "I am sickened by the thought that the Most High might become inactive. **11(12)** I will remember the works of the Lord. Yes, I will remember the amazing things you did long ago. **12(13)** I will think about all you have done; I will reflect upon your deeds." **13(14)** O God, your deeds are extraordinary. What god can compare to our great God? **14(15)** You are the God who does amazing things; you have revealed your strength among the nations. **15(16)** You delivered your people by your strength— the children of Jacob and Joseph. (Selah)

77 WLC

17 רָאוּךָ מַּיִם ׀ אֱלֹהִים רָאוּךָ מַּיִם יָחִילוּ אַף יִרְגְּזוּ תְהֹמוֹת׃

18 זֹרְמוּ מַיִם ׀ עָבוֹת קוֹל נָתְנוּ שְׁחָקִים אַף־חֲצָצֶיךָ יִתְהַלָּכוּ׃

19 קוֹל רַעַמְךָ ׀ בַּגַּלְגַּל הֵאִירוּ בְרָקִים תֵּבֵל רָגְזָה וַתִּרְעַשׁ הָאָרֶץ׃

20 בַּיָּם דַּרְכֶּךָ [וּשְׁבִילֶיךָ כ] (וּשְׁבִילְךָ ק) בְּמַיִם רַבִּים וְעִקְּבוֹתֶיךָ
לֹא נֹדָעוּ׃

21 נָחִיתָ כַצֹּאן עַמֶּךָ בְּיַד־מֹשֶׁה וְאַהֲרֹן׃

맛싸성경

16(히, 77:17) 하나님이시여! 물들이 주를 보았으며 (또) 물들이 주를 보았으므로 그것들이 떨었으며 또한 깊은 곳(바다)도 떨렸나이다. 17(18) 구름들이 물들을 쏟아내고 하늘(들)은 (천둥) 소리를 내었으며 또한 주의 화살들도 (날아)다니나이다. 18(19) 주의 천둥소리가 소용돌이(회리바람)에 있고 번개는 세상을 비췄으며 땅은 떨었고 흔들렸나이다. 19(20) 주의 길은 바다에 있었고 주의 행로는 많은 물 가운데 있으니 주의 발자국들은 알려지지 않았나이다. 20(21) 주께서 주의 백성을 양같이 모세와 아론의 손으로 인도하셨나이다.

NET

16(H 77:17) The waters saw you, O God, the waters saw you and trembled. Yes, the depths of the sea shook with fear. 17(18) The clouds poured down rain; the skies thundered. Yes, your arrows flashed about. 18(19) Your thunderous voice was heard in the wind; the lightning bolts lit up the world. The earth trembled and shook. 19(20) You walked through the sea; you passed through the surging waters, but left no footprints. 20(21) You led your people like a flock of sheep, by the hand of Moses and Aaron.

78 WLC

1 מַשְׂכִּיל לְאָסָף הַאֲזִינָה עַמִּי תּוֹרָתִי הַטּוּ אָזְנְכֶם לְאִמְרֵי־פִי׃

2 אֶפְתְּחָה בְמָשָׁל פִּי אַבִּיעָה חִידוֹת מִנִּי־קֶדֶם׃

3 אֲשֶׁר שָׁמַעְנוּ וַנֵּדָעֵם וַאֲבוֹתֵינוּ סִפְּרוּ־לָנוּ׃

4 לֹא נְכַחֵד ׀ מִבְּנֵיהֶם לְדוֹר אַחֲרוֹן מְסַפְּרִים תְּהִלּוֹת יְהוָה וֶעֱזוּזוֹ וְנִפְלְאוֹתָיו אֲשֶׁר עָשָׂה׃

맛싸성경

1 [아삽의 마스길] 내 백성아, 내 교훈에 귀 기울이고 내 입의 말들에 귀를 향하라. 2 내가 잠언으로 내 입을 열며 오래전 격언을 쏟아 내리라. 3 (이것은) 우리가 들었고 우리가 알았으며 우리 아버지(조상)들이 우리들에게 말했던 것이라. 4 우리는 그들의 자손들에게 감추지 않을 것이니 (곧) 그들의 후에 올 세대들에게 여호와의 찬양(들)과 그분의 능력과 그분이 행하신 그분의 놀라운 일들을 선포하는 것이라.

NET

1 A well-written song by Asaph. Pay attention, my people, to my instruction. Listen to the words I speak. 2 I will sing a song that imparts wisdom; I will make insightful observations about the past. 3 What we have heard and learned—that which our ancestors have told us— 4 we will not hide from their descendants. We will tell the next generation about the Lord's praiseworthy acts, about his strength and the amazing things he has done.

78 WLC

5 וַיָּקֶם עֵדוּת ׀ בְּֽיַעֲקֹב וְתוֹרָה שָׂם בְּיִשְׂרָאֵל אֲשֶׁר צִוָּה אֶת־אֲבוֹתֵינוּ
לְהוֹדִיעָם לִבְנֵיהֶם׃

6 לְמַעַן יֵדְעוּ ׀ דּוֹר אַחֲרוֹן בָּנִים יִוָּלֵדוּ יָקֻמוּ וִיסַפְּרוּ לִבְנֵיהֶם׃

7 וְיָשִׂימוּ בֵאלֹהִים כִּסְלָם וְלֹא יִשְׁכְּחוּ מַעַלְלֵי־אֵל וּמִצְוֹתָיו יִנְצֹרוּ׃

8 וְלֹא יִהְיוּ ׀ כַּאֲבוֹתָם דּוֹר סוֹרֵר וּמֹרֶה דּוֹר לֹא־הֵכִין לִבּוֹ וְלֹא־נֶאֶמְנָה
אֶת־אֵל רוּחוֹ׃

맛싸성경

5 그분은 야곱에게 증거를 세우셨고 이스라엘 안에서 율법을 세우셨으니 주께서 그들의 자손들에게 그것들을 가르치도록 우리들의 아버지(조상)들에게 명령하셨으니 6 그래서 차세대 곧 태어날 후손들이 그것들을 알도록 하기 위함이고 그들이 일어나 그들의 아들들에게 전해주도록 하기 위함이었다. 7 그러므로 그들은 하나님께 그들의 신뢰를 두고 그들은 하나님의 행위들을 잊어버리지 않으며 (그들은) 오직 그분의 명령들을 지키고 8 그들은 그들의 아버지들 같지 않았어야 했으니 (곧) 그들은 완고하고 반항하는 세대이고 그(들)의 마음이 확고하지 않은 세대이며 그(들)의 영은 하나님께 신실하지 않았도다.

NET

5 He established a rule in Jacob; he set up a law in Israel. He commanded our ancestors to make his deeds known to their descendants, 6 so that the next generation, children yet to be born, might know about them. They will grow up and tell their descendants about them. 7 Then they will place their confidence in God. They will not forget the works of God, and they will obey his commands. 8 Then they will not be like their ancestors, who were a stubborn and rebellious generation, a generation that was not committed and faithful to God.

78 WLC

9 בְּנֵי־אֶפְרַיִם נוֹשְׁקֵי רוֹמֵי־קָשֶׁת הָפְכוּ בְּיוֹם קְרָב׃

10 לֹא שָׁמְרוּ בְּרִית אֱלֹהִים וּבְתוֹרָתוֹ מֵאֲנוּ לָלֶכֶת׃

11 וַיִּשְׁכְּחוּ עֲלִילוֹתָיו וְנִפְלְאוֹתָיו אֲשֶׁר הֶרְאָם׃

12 נֶגֶד אֲבוֹתָם עָשָׂה פֶלֶא בְּאֶרֶץ מִצְרַיִם שְׂדֵה־צֹעַן׃

13 בָּקַע יָם וַיַּעֲבִירֵם וַיַּצֶּב־מַיִם כְּמוֹ־נֵד׃

14 וַיַּנְחֵם בֶּעָנָן יוֹמָם וְכָל־הַלַּיְלָה בְּאוֹר אֵשׁ׃

15 יְבַקַּע צֻרִים בַּמִּדְבָּר וַיַּשְׁקְ כִּתְהֹמוֹת רַבָּה׃

16 וַיּוֹצִא נוֹזְלִים מִסָּלַע וַיּוֹרֶד כַּנְּהָרוֹת מָיִם׃

17 וַיּוֹסִיפוּ עוֹד לַחֲטֹא־לוֹ לַמְרוֹת עֶלְיוֹן בַּצִּיָּה׃

맛싸성경

9 에프라임 자손들은 활로 무장했으나 그들은 전쟁의 날에는 방향을 돌렸도다. 10 그들은 하나님의 언약을 지키지 않았고 그분의 율법에 따라서 걷기를 거절하였도다. 11 그들은 그분의 행하신 일들과 그분이 그들에게 보여주신 그분의 놀라운 일들을 잊었도다. 12 주께서 그들의 아버지(조상)들 앞에서 기적을 행하셨으니 이집트 땅 소안의 들에서 (행하셨도다). 13 그분이 바다를 가르시고 그들을 지나가게 하시니 물들을 물더미같이 멈추게 하셨도다. 14 주께서 낮에는 구름으로 모든 밤 동안에는 불의 빛으로 그들을 인도하셨도다. 15 그분이 광야에서 바위들을 쪼개셨고 깊은 바다같이 많은 것으로 그들에게 마시게 하셨도다. 16 주께서 반석으로부터 물줄기가 나오게 하셨고 강같이 물이 흐르게 하셨도다. 17 그러나 그들은 마른 땅에서 지극히 높으신 분께 반항하여 그분께 죄짓기를 다시 반복하였도다.

NET

9 The Ephraimites were armed with bows, but they retreated in the day of battle. 10 They did not keep their covenant with God, and they refused to obey his law. 11 They forgot what he had done, the amazing things he had shown them. 12 He did amazing things in the sight of their ancestors, in the land of Egypt, in the region of Zoan. 13 He divided the sea and led them across it; he made the water stand in a heap. 14 He led them with a cloud by day and with the light of a fire all night long. 15 He broke open rocks in the wilderness and gave them enough water to fill the depths of the sea. 16 He caused streams to flow from the rock and made the water flow like rivers. 17 Yet they continued to sin against him and rebelled against the Most High in the desert.

78 WLC

18 וַיְנַסּוּ־אֵל בִּלְבָבָם לִשְׁאָל־אֹכֶל לְנַפְשָׁם׃

19 וַֽיְדַבְּרוּ בֵּֽאלֹהִים אָמְרוּ הֲיוּכַל אֵל לַעֲרֹךְ שֻׁלְחָן בַּמִּדְבָּר׃

20 הֵן הִכָּה־צוּר ׀ וַיָּזוּבוּ מַיִם וּנְחָלִים יִשְׁטֹפוּ הֲגַם־לֶחֶם יוּכַל תֵּת
אִם־יָכִין שְׁאֵר לְעַמּוֹ׃

21 לָכֵן ׀ שָׁמַע יְהוָה וַיִּתְעַבָּר וְאֵשׁ נִשְּׂקָה בְיַעֲקֹב וְגַם־אַף עָלָה בְיִשְׂרָאֵל׃

22 כִּי לֹא הֶאֱמִינוּ בֵּאלֹהִים וְלֹא בָטְחוּ בִּישׁוּעָתוֹ׃

23 וַיְצַו שְׁחָקִים מִמָּעַל וְדַלְתֵי שָׁמַיִם פָּתָח׃

24 וַיַּמְטֵר עֲלֵיהֶם מָן לֶאֱכֹל וּדְגַן־שָׁמַיִם נָתַן לָמוֹ׃

25 לֶחֶם אַבִּירִים אָכַל אִישׁ צֵידָה שָׁלַח לָהֶם לָשֹׂבַע׃

맛싸성경

18 그들은 그(들의) 마음으로 하나님을 시험하여 그들의 생명(욕망)을 위한 양식을 요구하였도다. **19** 그들은 하나님을 대항하여 말하였으니 "어떻게 하나님이 광야에서 식탁을 차려 놓을 수 있겠는가?"라고 말하였도다. **20** "보아라, 주께서 바위를 치셨으니 물이 솟아 나왔고 강들이 흘러나왔도다. 또한 주께서 음식을 주실 수 있으며 혹은 그(분)의 백성들을 위해서 고기를 준비하실 수있는가?" (하였도다). **21** 그러므로 여호와께서 들으시고 분노를 내셨고 야곱을 향하여 불이 붙었으며 또한 이스라엘을 향해 노가 타올랐으니 **22** 이는 그들이 하나님을 믿지 않았고 그들이 그분의 구원을 신뢰하지 않았음이라. **23** 그러나 주께서 위로부터 하늘들에게 명령하셨고 하늘(들)의 문들을 여셨으며 **24** 그들 위에 만나를 비같이 내려 먹도록 하셨고 하늘(들)의 곡식을 그(들)에게 주셨도다. **25** 사람은 용사(천사)들의 음식을 먹었으니 그분이 그들에게 음식을 충분히 보내셨도다.

NET

18 They willfully challenged God by asking for food to satisfy their appetite. **19** They insulted God, saying, "Is God really able to give us food in the wilderness? **20** Yes, he struck a rock and water flowed out; streams gushed forth. But can he also give us food? Will he provide meat for his people?" **21** When the Lord heard this, he was furious. A fire broke out against Jacob, and his anger flared up against Israel, **22** because they did not have faith in God and did not trust his ability to deliver them. **23** He gave a command to the clouds above and opened the doors in the sky. **24** He rained down manna for them to eat; he gave them the grain of heaven. **25** Man ate the food of the mighty ones. He sent them more than enough to eat.

78 WLC

26 יַסַּע קָדִים בַּשָּׁמָיִם וַיְנַהֵג בְּעֻזּוֹ תֵימָן׃

27 וַיַּמְטֵר עֲלֵיהֶם כֶּעָפָר שְׁאֵר וּכְחוֹל יַמִּים עוֹף כָּנָף׃

28 וַיַּפֵּל בְּקֶרֶב מַחֲנֵהוּ סָבִיב לְמִשְׁכְּנֹתָיו׃

29 וַיֹּאכְלוּ וַיִּשְׂבְּעוּ מְאֹד וְתַאֲוָתָם יָבִא לָהֶם׃

30 לֹא־זָרוּ מִתַּאֲוָתָם עוֹד אָכְלָם בְּפִיהֶם׃

31 וְאַף אֱלֹהִים ׀ עָלָה בָהֶם וַיַּהֲרֹג בְּמִשְׁמַנֵּיהֶם וּבַחוּרֵי יִשְׂרָאֵל הִכְרִיעַ׃

32 בְּכָל־זֹאת חָטְאוּ־עוֹד וְלֹא־הֶאֱמִינוּ בְּנִפְלְאוֹתָיו׃

33 וַיְכַל־בַּהֶבֶל יְמֵיהֶם וּשְׁנוֹתָם בַּבֶּהָלָה׃

34 אִם־הֲרָגָם וּדְרָשׁוּהוּ וְשָׁבוּ וְשִׁחֲרוּ־אֵל׃

35 וַיִּזְכְּרוּ כִּי־אֱלֹהִים צוּרָם וְאֵל עֶלְיוֹן גֹּאֲלָם׃

맛싸성경

26 주께서 하늘(들)에서 동풍이 휘몰아치게 하셨고 그분의 힘으로 남풍을 불게 하셨도다. 27 그들 위에 고기를 먼지같이 나는 새들을 바다의 모래같이 내려주셨도다. 28 주께서 그들의 진 가운데로 그(들)의 거주지 위로 (그것들을) 떨어지게 하셨도다. 29 그래서 그들은 먹고 매우 배가 불렀으니 주께서 그들이 원하는 것을 그들에게 가져다주신 것이로다. 30 그들은 그들의 원하는 것에서 돌아서지 않았고 그들의 음식이 아직도 그들의 입에 있을 때 31 하나님의 노하심은 그들을 향해서 타올랐고 그들 중에서 당당한(살찌거나 건장한) 자들을 죽이시고 이스라엘의 선택된 자들을 굴복시키셨도다. 32 이 모든 일에도 그들은 계속해서 죄를 지었고 그분의 놀라우신 일들을 믿지 않았도다. 33 그래서 주께서 그들의 날들을 덧없이 마치게 하셨고 그들의 날들을 공포 속에 있게 하셨다. 34 주께서 그들을 죽이실 때 그들은 그분을 찾았고 그들은 돌이켜서 하나님을 간절히 바라보았으며 35 그들은 하나님이 그들의 반석이시고 지극히 높으신 하나님이 그들의 구속자라는 것을 기억하였도다.

NET

26 He brought the east wind through the sky and by his strength led forth the south wind. 27 He rained down meat on them like dust, birds as numerous as the sand on the seashores. 28 He caused them to fall right in the middle of their camp, all around their homes. 29 They ate until they were beyond full; he gave them what they desired. 30 They were not yet filled up; their food was still in their mouths 31 when the anger of God flared up against them. He killed some of the strongest of them; he brought the young men of Israel to their knees. 32 Despite all this, they continued to sin, and did not trust him to do amazing things. 33 So he caused them to die unsatisfied and filled with terror. 34 When he struck them down, they sought his favor; they turned back and longed for God. 35 They remembered that God was their protector and that God Most High was their deliverer.

78 WLC

36 וַיְפַתּוּהוּ בְּפִיהֶם וּבִלְשׁוֹנָם יְכַזְּבוּ־לוֹ׃

37 וְלִבָּם לֹא־נָכוֹן עִמּוֹ וְלֹא נֶאֶמְנוּ בִּבְרִיתוֹ׃

38 וְהוּא רַחוּם ׀ יְכַפֵּר עָוֺן וְלֹא־יַשְׁחִית וְהִרְבָּה לְהָשִׁיב אַפּוֹ
וְלֹא־יָעִיר כָּל־חֲמָתוֹ׃

39 וַיִּזְכֹּר כִּי־בָשָׂר הֵמָּה רוּחַ הוֹלֵךְ וְלֹא יָשׁוּב׃

40 כַּמָּה יַמְרוּהוּ בַמִּדְבָּר יַעֲצִיבוּהוּ בִּישִׁימוֹן׃

41 וַיָּשׁוּבוּ וַיְנַסּוּ אֵל וּקְדוֹשׁ יִשְׂרָאֵל הִתְווּ׃

42 לֹא־זָכְרוּ אֶת־יָדוֹ יוֹם אֲשֶׁר־פָּדָם מִנִּי־צָר׃

맛싸성경

36 그러나 그들은 그들의 입으로 그분께 아첨하였고 그들의 혀로는 그분께 거짓말을 하였도다. **37** 그들의 마음은 그와 함께 바로 서 있지 않았으며 그들은 그의 언약에 신실하지 않았도다. **38** 그러나 주께서는 불쌍히 여기시며 그(들)의 범죄를 용서하셨고 멸하지 않으셨도다. 주께서 그분의 노를 돌이키기를 계속하셨으며 그분의 모든 진노를 일으키지 않으셨도다. **39** 그분은 그들이 육체라는 것과 지나가는 바람으로 다시 돌아오지 않는 것임을 기억하셨도다. **40** 그들이 광야에서 얼마나 반항을 했으며 또 사막에서 그분을 고통스럽게 하였던가? **41** 그들은 돌이켜 하나님을 시험하였으며 이스라엘의 거룩한 자를 괴롭게 만들었도다. **42** 그들은 그분의 손을 기억하지 않았고 그분이 그들을 그(들)의 대적자로부터 구속하신 날도 (기억하지 않았도다).

NET

36 But they deceived him with their words and lied to him. **37** They were not really committed to him, and they were unfaithful to his covenant. **38** Yet he is compassionate. He forgives sin and does not destroy. He often holds back his anger and does not stir up his fury. **39** He remembered that they were made of flesh and were like a wind that blows past and does not return. **40** How often they rebelled against him in the wilderness and insulted him in the wastelands. **41** They again challenged God and offended the Holy One of Israel. **42** They did not remember what he had done, how he delivered them from the enemy,

78 WLC

43 אֲשֶׁר־שָׂם בְּמִצְרַיִם אֹתוֹתָיו וּמוֹפְתָיו בִּשְׂדֵה־צֹעַן׃

44 וַיַּהֲפֹךְ לְדָם יְאֹרֵיהֶם וְנֹזְלֵיהֶם בַּל־יִשְׁתָּיוּן׃

45 יְשַׁלַּח בָּהֶם עָרֹב וַיֹּאכְלֵם וּצְפַרְדֵּעַ וַתַּשְׁחִיתֵם׃

46 וַיִּתֵּן לֶחָסִיל יְבוּלָם וִיגִיעָם לָאַרְבֶּה׃

47 יַהֲרֹג בַּבָּרָד גַּפְנָם וְשִׁקְמוֹתָם בַּחֲנָמַל׃

48 וַיַּסְגֵּר לַבָּרָד בְּעִירָם וּמִקְנֵיהֶם לָרְשָׁפִים׃

49 יְשַׁלַּח־בָּם ׀ חֲרוֹן אַפּוֹ עֶבְרָה וָזַעַם וְצָרָה מִשְׁלַחַת מַלְאֲכֵי רָעִים׃

맛싸성경

43 주께서 이집트에서 그분의 기적을 보이시고 소안의 들에서 그분의 표적을 (보이셨으니) 44 주께서 그들의 강들을 피로 바꾸시니 그들은 그들의 물을 마실 수가 없었고 45 주께서 그들에게 파리 떼들을 보내셔서 그(것)들이 그들을 삼켰으며 개구리들로 그들을 파괴하였도다. 46 주께서 그들의 수확을 나는 메뚜기에게 주셨고 그들의 생산을 메뚜기들에게 (주셨도다). 47 그들의 포도나무를 우박으로 그들의 시크모아를 큰 물(서리 혹은 우박)로 죽이셨도다. 48 주께서 그들의 가축을 우박에게 그들의 양 떼들을 재앙(번개)에게 넘겨주셨도다. 49 주께서 그들에게 그분의 진노의 불과 분노와 격분과 고통을 보내셨고 악한(재앙의) 사자들을 보내셨도다.

NET

43 when he performed his awesome deeds in Egypt and his acts of judgment in the region of Zoan. 44 He turned their rivers into blood, and they could not drink from their streams. 45 He sent swarms of biting insects against them, as well as frogs that overran their land. 46 He gave their crops to the grasshopper, the fruit of their labor to the locust. 47 He destroyed their vines with hail and their sycamore-fig trees with driving rain. 48 He rained hail down on their cattle and hurled lightning bolts down on their livestock. 49 His raging anger lashed out against them. He sent fury, rage, and trouble as messengers who bring disaster.

78 WLC

50 יְפַלֵּס נָתִיב לְאַפּוֹ לֹא־חָשַׂךְ מִמָּוֶת נַפְשָׁם וְחַיָּתָם לַדֶּבֶר הִסְגִּיר׃

51 וַיַּךְ כָּל־בְּכוֹר בְּמִצְרָיִם רֵאשִׁית אוֹנִים בְּאָהֳלֵי־חָם׃

52 וַיַּסַּע כַּצֹּאן עַמּוֹ וַיְנַהֲגֵם כַּעֵדֶר בַּמִּדְבָּר׃

53 וַיַּנְחֵם לָבֶטַח וְלֹא פָחָדוּ וְאֶת־אוֹיְבֵיהֶם כִּסָּה הַיָּם׃

54 וַיְבִיאֵם אֶל־גְּבוּל קָדְשׁוֹ הַר־זֶה קָנְתָה יְמִינוֹ׃

55 וַיְגָרֶשׁ מִפְּנֵיהֶם ׀ גּוֹיִם וַיַּפִּילֵם בְּחֶבֶל נַחֲלָה וַיַּשְׁכֵּן בְּאָהֳלֵיהֶם שִׁבְטֵי יִשְׂרָאֵל׃

맛싸성경

50 주께서 그분의 진노를 위한 길을 내시고 그들의 생명들을 죽음에서부터 붙들어 주지 않으셨으며 그들의 생명을 염병에 넘기셨도다. 51 주께서 이집트에 있는 장자들을 전부 치시고 함의 천막에 있는 힘들의 처음 것들도 치셨도다. 52 그러나 주께서 그의 백성을 양 같이 출발시켜서 (주께서) 그들을 양 떼같이 광야에서 인도하셨으며 53 주께서 그들을 안전하게 인도하셨으니 그들은 두려워하지 않았고 바다가 그들의 원수들을 덮어 버렸도다. 54 주께서 그들을 그분의 성소의 경계까지 그분 오른손이 취한 이 산(까지) 이끌어 내셨도다. 55 주께서 그들 앞에서 나라들을 몰아내셨고 상속의 줄로 그들에게 재도록 하셨으며 이스라엘의 지파들이 그들의 천막에서 살도록 하셨도다.

NET

50 He sent his anger in full force. He did not spare them from death; he handed their lives over to destruction. 51 He struck down all the firstborn in Egypt, the firstfruits of their reproductive power in the tents of Ham. 52 Yet he brought out his people like sheep; he led them through the wilderness like a flock. 53 He guided them safely along, and they were not afraid; but the sea covered their enemies. 54 He brought them to the border of his holy land, to this mountainous land that his right hand acquired. 55 He drove the nations out from before them; he assigned them their tribal allotments and allowed the tribes of Israel to settle down.

78 WLC

56 וַיְנַסּוּ וַיַּמְרוּ אֶת־אֱלֹהִים עֶלְיוֹן וְעֵדוֹתָיו לֹא שָׁמָרוּ׃

57 וַיִּסֹּגוּ וַיִּבְגְּדוּ כַּאֲבוֹתָם נֶהְפְּכוּ כְּקֶשֶׁת רְמִיָּה׃

58 וַיַּכְעִיסוּהוּ בְּבָמוֹתָם וּבִפְסִילֵיהֶם יַקְנִיאוּהוּ׃

59 שָׁמַע אֱלֹהִים וַיִּתְעַבָּר וַיִּמְאַס מְאֹד בְּיִשְׂרָאֵל׃

60 וַיִּטֹּשׁ מִשְׁכַּן שִׁלוֹ אֹהֶל שִׁכֵּן בָּאָדָם׃

61 וַיִּתֵּן לַשְּׁבִי עֻזּוֹ וְתִפְאַרְתּוֹ בְיַד־צָר׃

62 וַיַּסְגֵּר לַחֶרֶב עַמּוֹ וּבְנַחֲלָתוֹ הִתְעַבָּר׃

63 בַּחוּרָיו אָכְלָה־אֵשׁ וּבְתוּלֹתָיו לֹא הוּלָּלוּ׃

64 כֹּהֲנָיו בַּחֶרֶב נָפָלוּ וְאַלְמְנֹתָיו לֹא תִבְכֶּינָה׃

맛싸성경

56 그러나 그들은 지극히 높으신 하나님을 시험하여 반항하였고 그들은 그분의 증거들을 지키지 않았으며 **57** 오히려 그들은 돌이켜 그들의 아버지(조상)들같이 배신하였고 속이는 활같이 그들은 (방향을) 바꾸었도다. **58** 그들은 그들의 높은 제단(산당)으로 그분을 격노하게 만들었고 그들은 그들의 우상들로 그분을 아프게(질투하게) 하였도다. **59** (이것을) 하나님이 들으셨을 때 화를 내셔서 이스라엘을 심하게 거절하셨도다. **60** 그분이 실로의 성막을 버리셨고, 사람들 가운데 거하는 천막도 그리하셨도다. **61** (주께서) 그의 힘을 포로로 그의 영광을 대적의 손에 넘기셨도다. **62** 주께서 그분의 백성을 칼에 넘기셨고 그분의 상속에 (대해서) 화를 내셨도다. **63** 불이 그분의 젊은이들을 삼켰고 그분의 처녀들은 (결혼의) 노래를 받지 못하였도다. **64** 그분의 성직자들은 칼에 엎드려졌고 그분의 과부들은 울지도 못하였도다.

NET

56 Yet they challenged and defied God Most High and did not obey his commands. **57** They were unfaithful and acted as treacherously as their ancestors; they were as unreliable as a malfunctioning bow. **58** They made him angry with their pagan shrines and made him jealous with their idols. **59** God heard and was angry; he completely rejected Israel. **60** He abandoned the sanctuary at Shiloh, the tent where he lived among men. **61** He allowed the symbol of his strong presence to be captured; he gave the symbol of his splendor into the hand of the enemy. **62** He delivered his people over to the sword and was angry with his chosen nation. **63** Fire consumed their young men, and their virgins remained unmarried. **64** Their priests fell by the sword, but their widows did not weep.

78 WLC

65 וַיִּקַץ כְּיָשֵׁן ׀ אֲדֹנָי כְּגִבּוֹר מִתְרוֹנֵן מִיָּיִן׃

66 וַיַּךְ־צָרָיו אָחוֹר חֶרְפַּת עוֹלָם נָתַן לָמוֹ׃

67 וַיִּמְאַס בְּאֹהֶל יוֹסֵף וּבְשֵׁבֶט אֶפְרַיִם לֹא בָחָר׃

68 וַיִּבְחַר אֶת־שֵׁבֶט יְהוּדָה אֶת־הַר צִיּוֹן אֲשֶׁר אָהֵב׃

69 וַיִּבֶן כְּמוֹ־רָמִים מִקְדָּשׁוֹ כְּאֶרֶץ יְסָדָהּ לְעוֹלָם׃

70 וַיִּבְחַר בְּדָוִד עַבְדּוֹ וַיִּקָּחֵהוּ מִמִּכְלְאֹת צֹאן׃

71 מֵאַחַר עָלוֹת הֱבִיאוֹ לִרְעוֹת בְּיַעֲקֹב עַמּוֹ וּבְיִשְׂרָאֵל נַחֲלָתוֹ׃

72 וַיִּרְעֵם כְּתֹם לְבָבוֹ וּבִתְבוּנוֹת כַּפָּיו יַנְחֵם׃

맛싸성경

65 그때 주께서 잠에서 깨셨으니 술에서부터 외치는 용사 같았도다. 66 주께서 그분의 대적들을 뒤에서 치셨으며 그들에게 영원한 치욕을 주셨도다. 67 주께서 요셉의 천막을 거절하셨고 에프라임의 지파를 택하지 않으셨으며 68 주께서 유다 지파 곧 그분이 사랑하시는 시온산을 선택하셨도다. 69 주께서 그분의 성소를 높이 있는 것같이 지으셨고 그것을 땅같이 영원한 기초를 놓으셨도다. 70 주께서 자기 종 다윗을 선택하셨고 그를 양의 우리들로부터 취하셨으며 71 젖 먹이는 (양들)에게서 그를 데리고 오셔서 그분의 백성 야곱과 그분의 상속 이스라엘을 치게 하셨도다. 72 그래서 그는 그분의 마음의 온전함같이 그들을 쳤고 그는 그의 손의 숙련됨으로 그들을 인도하였도다.

NET

65 But then the Lord awoke from his sleep; he was like a warrior in a drunken rage. 66 He drove his enemies back; he made them a permanent target for insults. 67 He rejected the tent of Joseph; he did not choose the tribe of Ephraim. 68 He chose the tribe of Judah and Mount Zion, which he loves. 69 He made his sanctuary as enduring as the heavens above, as secure as the earth, which he established permanently. 70 He chose David, his servant, and took him from the sheepfolds. 71 He took him away from following the mother sheep, and made him the shepherd of Jacob, his people, and of Israel, his chosen nation. 72 David cared for them with pure motives; he led them with skill.

79 WLC

1 מִזְמוֹר לְאָסָף אֱלֹהִים בָּאוּ גוֹיִם ׀ בְּנַחֲלָתֶךָ טִמְּאוּ אֶת־הֵיכַל קָדְשֶׁךָ שָׂמוּ אֶת־יְרוּשָׁלַםִ לְעִיִּים׃

2 נָתְנוּ אֶת־נִבְלַת עֲבָדֶיךָ מַאֲכָל לְעוֹף הַשָּׁמָיִם בְּשַׂר חֲסִידֶיךָ לְחַיְתוֹ־אָרֶץ׃

3 שָׁפְכוּ דָמָם ׀ כַּמַּיִם סְבִיבוֹת יְרוּשָׁלָם וְאֵין קוֹבֵר׃

4 הָיִינוּ חֶרְפָּה לִשְׁכֵנֵינוּ לַעַג וָקֶלֶס לִסְבִיבוֹתֵינוּ׃

5 עַד־מָה יְהוָה תֶּאֱנַף לָנֶצַח תִּבְעַר כְּמוֹ־אֵשׁ קִנְאָתֶךָ׃

6 שְׁפֹךְ חֲמָתְךָ אֶל־הַגּוֹיִם אֲשֶׁר לֹא־יְדָעוּךָ וְעַל מַמְלָכוֹת אֲשֶׁר בְּשִׁמְךָ לֹא קָרָאוּ׃

7 כִּי אָכַל אֶת־יַעֲקֹב וְאֶת־נָוֵהוּ הֵשַׁמּוּ׃

맛싸성경

1 [아삽의 시] 하나님이시여! 열방들이 주의 유산으로 들어와서 주의 거룩한 성전을 더럽혔으며 예루살렘을 파괴 더미로 두었나이다. 2 그들은 주의 종들의 주검들을 하늘의 새의 먹이로 주었고 주의 신실한 자들의 육체를 땅의 짐승들에게 주었나이다. 3 그들은 그 피를 예루살렘 주위로 물같이 흐르게 하였으나 장사할 자가 없나이다. 4 우리는 우리 이웃에게 비난거리가 되었고 우리 주위에 있는 자들에게 비웃음과 조롱거리가 되었나이다. 5 여호와시여! 언제까지 주께서 영영히 노하시며 주의 질투하심을 불같이 타게 하시려나이까? 6 주의 진노를 주를 알지 못하는 민족들과 주의 이름을 부르지 않는 왕국들 위로 쏟으소서. 7 이는 그들이 야곱을 삼켰고 그의 거주지를 파괴하였음이니이다.

NET

1 A psalm of Asaph. O God, foreigners have invaded your chosen land; they have polluted your holy temple and turned Jerusalem into a heap of ruins. 2 They have given the corpses of your servants to the birds of the sky, the flesh of your loyal followers to the beasts of the earth. 3 They have made their blood flow like water all around Jerusalem, and there is no one to bury them. 4 We have become an object of disdain to our neighbors; those who live on our borders taunt and insult us. 5 How long will this go on, O Lord? Will you stay angry forever? How long will your rage burn like fire? 6 Pour out your anger on the nations that do not acknowledge you, on the kingdoms that do not pray to you. 7 For they have devoured Jacob and destroyed his home.

79 WLC

8 אַל־תִּזְכָּר־לָנוּ עֲוֺנֹת רִאשֹׁנִים מַהֵר יְקַדְּמוּנוּ רַחֲמֶיךָ כִּי דַלּוֹנוּ מְאֹד׃

9 עָזְרֵנוּ ׀ אֱלֹהֵי יִשְׁעֵנוּ עַל־דְּבַר כְּבוֹד־שְׁמֶךָ וְהַצִּילֵנוּ וְכַפֵּר עַל־חַטֹּאתֵינוּ לְמַעַן שְׁמֶךָ׃

10 לָמָּה ׀ יֹאמְרוּ הַגּוֹיִם אַיֵּה אֱלֹהֵיהֶם יִוָּדַע [בַּגִּיִּים כ] (בַּגּוֹיִם ק) לְעֵינֵינוּ נִקְמַת דַּם־עֲבָדֶיךָ הַשָּׁפוּךְ׃

11 תָּבוֹא לְפָנֶיךָ אֶנְקַת אָסִיר כְּגֹדֶל זְרוֹעֲךָ הוֹתֵר בְּנֵי תְמוּתָה׃

12 וְהָשֵׁב לִשְׁכֵנֵינוּ שִׁבְעָתַיִם אֶל־חֵיקָם חֶרְפָּתָם אֲשֶׁר חֵרְפוּךָ אֲדֹנָי׃

13 וַאֲנַחְנוּ עַמְּךָ ׀ וְצֹאן מַרְעִיתֶךָ נוֹדֶה לְּךָ לְעוֹלָם לְדֹר וָדֹר נְסַפֵּר תְּהִלָּתֶךָ׃

맛싸성경

8 아버지(조상)들의 부정을 우리에게서 기억하지 마시고 주의 긍휼로 우리를 속히 맞아주소서. 이는 우리가 매우 작아졌음이니이다. 9 우리 구원의 하나님이시여! 주의 이름의 영광을 위하여 우리를 도우시고 우리를 구출하시며 주의 이름을 위하여 우리들의 죄를 용서하소서. 10 어찌하여 나라들로 "그들의 하나님이 어디에 있느냐?"라고 말하게 하시나이까? 우리들의 눈(앞)에서 나라들 중에 피 흘려진 주의 종들의 피에 대한 복수가 알려지게 하소서. 11 갇힌 자의 탄식이 주 앞에 이르게 하시고 주의 팔의 위대하심에 따라서 죽게 된 자녀들을 우선하여 (보호해) 남겨 주소서. 12 우리 이웃들에게 그들이 주를 비방한 그(들의) 비방에 대해 그 가슴에 7 배로 갚으소서. 주시여! 13 그러나 우리는 주의 백성이고 주의 초장의 양들이니 주께 영원히 감사하며 대대로 우리가 주의 찬양을 전하리이다.

NET

8 Do not hold us accountable for the sins of earlier generations. Quickly send your compassion our way, for we are in serious trouble. **9** Help us, O God, our deliverer! For the sake of your glorious reputation, rescue us. Forgive our sins for the sake of your reputation. **10** Why should the nations say, "Where is their God?" Before our very eyes may the shed blood of your servants be avenged among the nations. **11** Listen to the painful cries of the prisoners. Use your great strength to set free those condemned to die. **12** Pay back our neighbors in full. May they be insulted the same way they insulted you, O Lord. **13** Then we, your people, the sheep of your pasture, will continually thank you. We will tell coming generations of your praiseworthy acts.

80 WLC

1 לַמְנַצֵּחַ אֶל־שֹׁשַׁנִּים עֵדוּת לְאָסָף מִזְמוֹר׃

2 רֹעֵה יִשְׂרָאֵל ׀ הַאֲזִינָה נֹהֵג כַּצֹּאן יוֹסֵף יֹשֵׁב הַכְּרוּבִים הוֹפִיעָה׃

3 לִפְנֵי אֶפְרַיִם ׀ וּבִנְיָמִן וּמְנַשֶּׁה עוֹרְרָה אֶת־גְּבוּרָתֶךָ וּלְכָה לִישֻׁעָתָה לָּנוּ׃

4 אֱלֹהִים הֲשִׁיבֵנוּ וְהָאֵר פָּנֶיךָ וְנִוָּשֵׁעָה׃

5 יְהוָה אֱלֹהִים צְבָאוֹת עַד־מָתַי עָשַׁנְתָּ בִּתְפִלַּת עַמֶּךָ׃

6 הֶאֱכַלְתָּם לֶחֶם דִּמְעָה וַתַּשְׁקֵמוֹ בִּדְמָעוֹת שָׁלִישׁ׃

7 תְּשִׂימֵנוּ מָדוֹן לִשְׁכֵנֵינוּ וְאֹיְבֵינוּ יִלְעֲגוּ־לָמוֹ׃

8 אֱלֹהִים צְבָאוֹת הֲשִׁיבֵנוּ וְהָאֵר פָּנֶיךָ וְנִוָּשֵׁעָה׃

맛싸성경

(히, 80:1) [지휘자를 위하여 쇼산님 에두트(언약의 백합화)의 곡에 맞춘 아삽의 시] **1(2)** 요셉을 양 떼같이 인도하시는 이스라엘의 목자이시여! 귀 기울여 주소서. 케룹(그룹)들 (가운데) 거하시는 분이시여! 빛을 발하소서. **2(3)** 에프라임과 베냐민과 메낫쉐(므낫세) 앞에서 주의 능력을 일으키시고 우리들을 구원하러 오소서. **3(4)** 하나님이시여! 우리들을 회복시키시고 주의 얼굴을 비추셔서 우리로 구원받게 하소서. **4(5)** 만군의 하나님 여호와시여! 언제까지 주께서 주의 백성의 기도에 분노의 연기를 내시겠나이까? **5(6)** 주께서 그들에게 눈물의 빵을 먹이셨고 주께서 그들에게 많은 눈물을 마시게 하셨나이다. **6(7)** 주께서 우리를 우리 이웃에게 싸움을 하도록 두셨고 우리 원수들은 그들끼리 조롱하나이다. **7(8)** 만군의 하나님이시여! 우리를 회복시키시고 주의 얼굴을 비추셔서 우리로 구원받게 하소서.

NET

1(H 80:1) For the music director, according to the shushan-eduth style; a psalm of Asaph. **(2)** O Shepherd of Israel, pay attention, you who lead Joseph like a flock of sheep. You who sit enthroned above the cherubim, reveal your splendor. **2(3)** In the sight of Ephraim, Benjamin, and Manasseh reveal your power. Come and deliver us. **3(4)** O God, restore us. Smile on us. Then we will be delivered. **4(5)** O Lord God of Heaven's Armies, how long will you remain angry at your people while they pray to you? **5(6)** You have given them tears as food; you have made them drink tears by the measure. **6(7)** You have made our neighbors dislike us and our enemies insult us. **7(8)** O God of Heaven's Armies, restore us. Smile on us. Then we will be delivered.

80 WLC

9 גֶּפֶן מִמִּצְרַיִם תַּסִּיעַ תְּגָרֵשׁ גּוֹיִם וַתִּטָּעֶהָ:

10 פִּנִּיתָ לְפָנֶיהָ וַתַּשְׁרֵשׁ שָׁרָשֶׁיהָ וַתְּמַלֵּא־אָרֶץ:

11 כָּסּוּ הָרִים צִלָּהּ וַעֲנָפֶיהָ אַרְזֵי־אֵל:

12 תְּשַׁלַּח קְצִירֶהָ עַד־יָם וְאֶל־נָהָר יוֹנְקוֹתֶיהָ:

13 לָמָּה פָּרַצְתָּ גְדֵרֶיהָ וְאָרוּהָ כָּל־עֹבְרֵי דָרֶךְ:

14 יְכַרְסְמֶנָּה חֲזִיר מִיָּעַר וְזִיז שָׂדַי יִרְעֶנָּה:

15 אֱלֹהִים צְבָאוֹת שׁוּב־נָא הַבֵּט מִשָּׁמַיִם וּרְאֵה וּפְקֹד גֶּפֶן זֹאת:

맛싸성경

8(히, 80:9) 주께서 이집트에서부터 한 포도나무를 뽑으시고 나라들을 몰아내셨으며 그것(한 포도나무)을 심으셨나이다. **9(10)** 주께서 그(것의) 앞을 깨끗하게 하셨고 그(것의) 뿌리가 내려서 그것이 땅에 가득하였나이다. **10(11)** 산(들)은 그(것의) 그늘로 덮여졌고 큰 삼목들도 그(것의) 가지들이 있나이다(덮였나이다). **11(12)** 그(것의) 가지들이 바다에까지 그(것의) 새싹이 강까지 뻗었나이다. **12(13)** 어찌하여 주께서 그(것의) 담을 쪼개셔서 길을 지나가는 모든 자들이 그것을 따게 하시나이까? **13(14)** 숲속의 멧돼지가 그것을 다 먹어 버리고 들의 생물들이 그것을 뜯어 먹었나이다. **14(15)** 만군의 하나님이시여! 이제 돌아오시고 하늘에서부터 주목하시고 보셔서 이 포도나무를 잘 돌보소서.

NET

8(H 80:9) You uprooted a vine from Egypt; you drove out nations and transplanted it. **9(10)** You cleared the ground for it; it took root and filled the land. **10(11)** The mountains were covered by its shadow, the highest cedars by its branches. **11(12)** Its branches reached the Mediterranean Sea, and its shoots the Euphrates River. **12(13)** Why did you break down its walls, so that all who pass by pluck its fruit? **13(14)** The wild boars of the forest ruin it; the insects of the field feed on it. **14(15)** O God of Heaven's Armies, come back. Look down from heaven and take notice. Take care of this vine,

80 WLC

16 וְכַנָּה אֲשֶׁר־נָטְעָה יְמִינֶךָ וְעַל־בֵּן אִמַּצְתָּה לָּךְ׃

17 שְׂרֻפָה בָאֵשׁ כְּסוּחָה מִגַּעֲרַת פָּנֶיךָ יֹאבֵדוּ׃

18 תְּהִי־יָדְךָ עַל־אִישׁ יְמִינֶךָ עַל־בֶּן־אָדָם אִמַּצְתָּ לָּךְ׃

19 וְלֹא־נָסוֹג מִמֶּךָּ תְּחַיֵּנוּ וּבְשִׁמְךָ נִקְרָא׃

20 יְהוָה אֱלֹהִים צְבָאוֹת הֲשִׁיבֵנוּ הָאֵר פָּנֶיךָ וְנִוָּשֵׁעָה׃

맛싸성경

15(히, 80:16) (그것은) 주의 오른손이 심은 줄기이고 주를 위하여 주께서 강하게 만드신 가지이나이다. **16(17)** 그것은 불에 타버렸고 잘라졌으며 주의 얼굴의 책망으로 그것들은 파괴되었나이다. **17(18)** 그러나 주의 오른 편에 있는 사람 곧 주를 위해서 주께서 강하게 하신 사람의 아들 위에 주의 손이 있게 하소서. **18(19)** 그러면 우리가 주께로부터 배신하지 않으리이다. 우리들을 살게 하소서. 그리하시면 우리가 주의 이름을 부를 것이니이다. **19(20)** 만군의 하나님 여호와이시여! 우리를 회복시키시고 주의 얼굴을 비추셔서 우리로 구원받게 하소서.

NET

15(H 80:16) the root your right hand planted, the shoot you made to grow. **16(17)** It is burned and cut down. May those who did this die because you are displeased with them. **17(18)** May you give support to the one you have chosen, to the one whom you raised up for yourself. **18(19)** Then we will not turn away from you. Revive us and we will pray to you. **19(20)** O Lord God of Heaven's Armies, restore us. Smile on us. Then we will be delivered.

81 WLC

1 לַמְנַצֵּחַ ׀ עַל־הַגִּתִּית לְאָסָף׃

2 הַרְנִינוּ לֵאלֹהִים עוּזֵּנוּ הָרִיעוּ לֵאלֹהֵי יַעֲקֹב׃

3 שְׂאוּ־זִמְרָה וּתְנוּ־תֹף כִּנּוֹר נָעִים עִם־נָבֶל׃

4 תִּקְעוּ בַחֹדֶשׁ שׁוֹפָר בַּכֵּסֶה לְיוֹם חַגֵּנוּ׃

5 כִּי חֹק לְיִשְׂרָאֵל הוּא מִשְׁפָּט לֵאלֹהֵי יַעֲקֹב׃

6 עֵדוּת ׀ בִּיהוֹסֵף שָׂמוֹ בְּצֵאתוֹ עַל־אֶרֶץ מִצְרָיִם שְׂפַת לֹא־יָדַעְתִּי אֶשְׁמָע׃

7 הֲסִירוֹתִי מִסֵּבֶל שִׁכְמוֹ כַּפָּיו מִדּוּד תַּעֲבֹרְנָה׃

8 בַּצָּרָה קָרָאתָ וָאֲחַלְּצֶךָּ אֶעֶנְךָ בְּסֵתֶר רַעַם אֶבְחָנְךָ עַל־מֵי מְרִיבָה סֶלָה׃

맛싸성경

(히, 81:1) [지휘자를 위하여 깃딧에 맞춘 아삽의 시] 1(2) 우리 힘이신 하나님께 큰 소리로 노래하며 야곱의 하나님께 크게 외쳐라. 2(3) 노래 (소리)를 높이고 템버린을 치며 네벨(하프)과 함께 좋은 킨노르(수금)를 연주하여라. 3(4) 초하루와 보름날 우리 절기를 위해서 양각 뿔 (나팔)을 불어라. 4(5) 이는 이것은 이스라엘의 규례이며 야곱의 하나님의 법도이기 때문이도다. 5(6) 주께서 이집트 땅으로 싸우러 나아가셨을 때 그것을 요셉을 위한 증거로 두셨고 나는 내가 알지 못하는 목소리를 들었도다. 6(7) "내가 그의 어깨에 있는 짐을 제거하였고 그의 손들을 바구니로부터 벗어나게 했도다. 7(8) 네가 고통 중에서 부르짖을 때 내가 너를 구출하였고 천둥소리의 은밀한 곳에서 네게 응답하였으며 므리바의 물(들)에서 너를 시험하였도다. 셀라.

NET

1(H 81:1) For the music director, according to the gittith style; by Asaph. (2) Shout for joy to God, our source of strength! Shout out to the God of Jacob! 2(3) Sing a song and play the tambourine, the pleasant-sounding harp, and the ten-stringed instrument. 3(4) Sound the ram's horn on the day of the new moon and on the day of the full moon when our festival begins. 4(5) For observing the festival is a requirement for Israel; it is an ordinance given by the God of Jacob. 5(6) He decreed it as a regulation in Joseph, when he attacked the land of Egypt. I heard a voice I did not recognize. 6(7) It said: "I removed the burden from his shoulder; his hands were released from holding the basket. 7(8) In your distress you called out and I rescued you. I answered you from a dark thundercloud. I tested you at the waters of Meribah. (Selah)

81 WLC

9 שְׁמַע עַמִּי וְאָעִידָה בָּךְ יִשְׂרָאֵל אִם־תִּשְׁמַע־לִי׃

10 לֹא־יִהְיֶה בְךָ אֵל זָר וְלֹא תִשְׁתַּחֲוֶה לְאֵל נֵכָר׃

11 אָנֹכִי ׀ יְהוָה אֱלֹהֶיךָ הַמַּעַלְךָ מֵאֶרֶץ מִצְרָיִם הַרְחֶב־פִּיךָ וַאֲמַלְאֵהוּ׃

12 וְלֹא־שָׁמַע עַמִּי לְקוֹלִי וְיִשְׂרָאֵל לֹא־אָבָה לִי׃

13 וָאֲשַׁלְּחֵהוּ בִּשְׁרִירוּת לִבָּם יֵלְכוּ בְּמוֹעֲצוֹתֵיהֶם׃

14 לוּ עַמִּי שֹׁמֵעַ לִי יִשְׂרָאֵל בִּדְרָכַי יְהַלֵּכוּ׃

15 כִּמְעַט אוֹיְבֵיהֶם אַכְנִיעַ וְעַל צָרֵיהֶם אָשִׁיב יָדִי׃

16 מְשַׂנְאֵי יְהוָה יְכַחֲשׁוּ־לוֹ וִיהִי עִתָּם לְעוֹלָם׃

17 וַיַּאֲכִילֵהוּ מֵחֵלֶב חִטָּה וּמִצּוּר דְּבַשׁ אַשְׂבִּיעֶךָ׃

맛싸성경

8(히, 81:9) 내 백성아, 들어라. 내가 네게 견책할 것이라. 이스라엘아, 참으로 너는 내 말을 듣고 9(10) 네 안에 부정한 신을 없애고 네가 이방신에게 예배하지 않게 하라. 10(11) 나는 너를 이집트 땅에서 올라오게 한 네 하나님 여호와이니 네가 네 입을 크게 열면 내가 그것을 채울 것이라." 11(12) "그러나 내 백성은 내 소리를 듣지 않았고 이스라엘은 나를 원하지 않았도다. 12(13) 그래서 내가 그들을 그 마음의 완고함대로 내버려 두었고 그들은 자기들의 계획대로 걸었도다. 13(14) 만일 내 백성이 내 (음성)을 들으며 이스라엘 그들이 나의 길에서 걷는다면 14(15) 즉시 내가 그들의 원수들을 미약하게 낮출 것이고 내 손을 그 대적들에게로 돌릴 것이라. 15(16) 여호와를 미워하는 자들이 그분을 거짓으로 섬기나 그들의 때는 영원히 있을 것이로다. 16(17) 그러나 그분이 기름진 밀로부터 그들을 먹이시고 반석의 꿀로 내가 너를 배부르게 할 것이라."

NET

8(H 81:9) I said, 'Listen, my people! I will warn you. O Israel, if only you would obey me! 9(10) There must be no other god among you. You must not worship a foreign god. 10(11) I am the Lord, your God, the one who brought you out of the land of Egypt. Open your mouth wide and I will fill it.' 11(12) But my people did not obey me; Israel did not submit to me. 12(13) I gave them over to their stubborn desires; they did what seemed right to them. 13(14) If only my people would obey me! If only Israel would keep my commands! 14(15) Then I would quickly subdue their enemies, and attack their adversaries." 15(16) (May those who hate the Lord cower in fear before him. May they be permanently humiliated.) 16(17) "I would feed Israel the best wheat, and would satisfy your appetite with honey from the rocky cliffs."

82 WLC

1 מִזְמוֹר לְאָסָף אֱלֹהִים נִצָּב בַּעֲדַת־אֵל בְּקֶרֶב אֱלֹהִים יִשְׁפֹּט׃

2 עַד־מָתַי תִּשְׁפְּטוּ־עָוֶל וּפְנֵי רְשָׁעִים תִּשְׂאוּ־סֶלָה׃

3 שִׁפְטוּ־דַל וְיָתוֹם עָנִי וָרָשׁ הַצְדִּיקוּ׃

4 פַּלְּטוּ־דַל וְאֶבְיוֹן מִיַּד רְשָׁעִים הַצִּילוּ׃

5 לֹא יָדְעוּ ׀ וְלֹא יָבִינוּ בַּחֲשֵׁכָה יִתְהַלָּכוּ יִמּוֹטוּ כָּל־מוֹסְדֵי אָרֶץ׃

6 אֲנִי־אָמַרְתִּי אֱלֹהִים אַתֶּם וּבְנֵי עֶלְיוֹן כֻּלְּכֶם׃

7 אָכֵן כְּאָדָם תְּמוּתוּן וּכְאַחַד הַשָּׂרִים תִּפֹּלוּ׃

8 קוּמָה אֱלֹהִים שָׁפְטָה הָאָרֶץ כִּי־אַתָּה תִנְחַל בְּכָל־הַגּוֹיִם׃

맛싸성경

1 [아삽의 시] 하나님은 신들의 회중 가운데 서시며 신들 가운데서 재판을 하시도다. 2 "언제까지 너희가 불의로 재판을 하며 사악한 자들의 얼굴을 봐주겠느냐? 셀라. 3 힘없는 자와 고아를 (공정하게) 재판하고 가난한 자와 빈궁한 자에게 권리를 변호하라. 4 힘없는 자와 궁핍한 자를 구해내고 사악한 자들의 손에서부터 그들을 구출해 내어라." 5 그들은 알지 못하고 이해하지도 못하며 그들은 어둠에서 걷고 있었으니 땅의 모든 초석들이 흔들리도다. 6 나는 말했도다. "너희들이 신들이며 너희 모두가 지극히 높은 자의 아들들이로다. 7 그렇지만 너희들은 (다른) 사람같이 죽을 것이며 너희 통치자는 하나같이 넘어질 것이라." 8 하나님이시여! 일어나셔서 (그) 땅을 심판하소서. 이는 주께서 모든 나라들을 소유하실 것이기 때문이니이다.

NET

1 A psalm of Asaph. God stands in the assembly of El; in the midst of the gods he renders judgment. 2 He says, "How long will you make unjust legal decisions and show favoritism to the wicked? (Selah) 3 Defend the cause of the poor and the fatherless. Vindicate the oppressed and suffering. 4 Rescue the poor and needy. Deliver them from the power of the wicked. 5 They neither know nor understand. They stumble around in the dark, while all the foundations of the earth crumble. 6 I thought, 'You are gods; all of you are sons of the Most High.' 7 Yet you will die like mortals; you will fall like all the other rulers." 8 Rise up, O God, and execute judgment on the earth! For you own all the nations.

83 WLC

1 שִׁיר מִזְמוֹר לְאָסָף׃

2 אֱלֹהִים אַל־דֳּמִי־לָךְ אַל־תֶּחֱרַשׁ וְאַל־תִּשְׁקֹט אֵל׃

3 כִּי־הִנֵּה אוֹיְבֶיךָ יֶהֱמָיוּן וּמְשַׂנְאֶיךָ נָשְׂאוּ רֹאשׁ׃

4 עַל־עַמְּךָ יַעֲרִימוּ סוֹד וְיִתְיָעֲצוּ עַל־צְפוּנֶיךָ׃

맛싸성경

(히, 83:1) [아삽의 시. 노래] **1(2)** 하나님이시여! 주는 조용히 계시지 마시고 귀를 닫지 마소서. 하나님이시여! 잠잠하지 마소서. **2(3)** 보소서, 이는 주의 원수들이 소란하고 주를 미워하는 자들이 (그들의) 머리를 들었음이니이다. **3(4)** 그들은 주의 백성을 대항하여 (비밀) 모임(을) 간교하게 하고 주의 숨겨진 자들을 대항하여 반대해서 함께 의논을 하나이다.

NET

1(H 83:1) A song, a psalm of Asaph. **(2)** O God, do not be silent. Do not ignore us. Do not be inactive, O God. **2(3)** For look, your enemies are making a commotion; those who hate you are hostile. **3(4)** They carefully plot against your people, and make plans to harm the ones you cherish.

83 WLC

5 אָמְרוּ לְכוּ וְנַכְחִידֵם מִגּוֹי וְלֹא־יִזָּכֵר שֵׁם־יִשְׂרָאֵל עוֹד׃

6 כִּי נוֹעֲצוּ לֵב יַחְדָּו עָלֶיךָ בְּרִית יִכְרֹתוּ׃

7 אָהֳלֵי אֱדוֹם וְיִשְׁמְעֵאלִים מוֹאָב וְהַגְרִים׃

8 גְּבָל וְעַמּוֹן וַעֲמָלֵק פְּלֶשֶׁת עִם־יֹשְׁבֵי צוֹר׃

9 גַּם־אַשּׁוּר נִלְוָה עִמָּם הָיוּ זְרוֹעַ לִבְנֵי־לוֹט סֶלָה׃

맛싸성경

4(히, 83:5) "오라. 우리들이 그들을 민족들에서 없애(지워) 버려서 이스라엘의 이름이 더 이상 기억되지 않게 하자"고 그들이 말하나이다. **5(6)** 이는 그들이 다 같은 마음으로 함께 의논을 하고 주를 대항하여 그들은 언약을 맺었으니 **6(7)** (곧) 에돔의 천막들과 이스마엘 사람들과 모압과 하갈 사람이며 **7(8)** 그발과 암몬과 아말렉과 두로에 사는 사람들과 함께한 블레셋이며 **8(9)** 또한 앗수르도 그들과 함께 연합하였으니 그들은 롯의 자녀들을 위하여 도움이 되었음이라. 셀라.

NET

4(H 83:5) They say, "Come on, let's annihilate them so they are no longer a nation. Then the name of Israel will be remembered no more." **5(6)** Yes, they devise a unified strategy; they form an alliance against you. **6(7)** It includes the tents of Edom and the Ishmaelites, Moab and the Hagrites, **7(8)** Gebal, Ammon, and Amalek, Philistia, and the inhabitants of Tyre. **8(9)** Even Assyria has allied with them, lending its strength to the descendants of Lot. (Selah)

83 WLC

10 עֲשֵׂה־לָהֶם כְּמִדְיָן כְּסִיסְרָא כְיָבִין בְּנַחַל קִישׁוֹן׃

11 נִשְׁמְדוּ בְעֵין־דֹּאר הָיוּ דֹּמֶן לָאֲדָמָה׃

12 שִׁיתֵמוֹ נְדִיבֵמוֹ כְּעֹרֵב וְכִזְאֵב וּכְזֶבַח וּכְצַלְמֻנָּע כָּל־נְסִיכֵמוֹ׃

13 אֲשֶׁר אָמְרוּ נִירֲשָׁה לָּנוּ אֵת נְאוֹת אֱלֹהִים׃

14 אֱלֹהַי שִׁיתֵמוֹ כַגַּלְגַּל כְּקַשׁ לִפְנֵי־רוּחַ׃

맛싸성경

9(히, 83:10) 미디안(에게 행한 것)같이 그들에게 행하시고 기손 시내에서 시스라와 야빈(에게 행한 것)같이 (그들에게) 행하소서. **10(11)** 그들은 엔돌에서 파멸되었으며 땅에 거름이 되었나이다. **11(12)** 그(들의) 귀족들을 오렙과 스엡같이 만들어 주시고 그(들의) 모든 왕자들을 세바와 살문나같이 만드소서. **12(13)** "우리를 위하여 하나님의 거주지들을 소유하자."고 그들은 말하였나이다. **13(14)** 나의 하나님이시여! 그들을 굴러가는(떠도는) 것같이 두시고 바람 앞에 있는 짚단 같게 만드소서.

NET

9(H 83:10) Do to them as you did to Midian—as you did to Sisera and Jabin at the Kishon River. **10(11)** They were destroyed at Endor; their corpses were like manure on the ground. **11(12)** Make their nobles like Oreb and Zeeb, and all their rulers like Zebah and Zalmunna, **12(13)** who said, "Let's take over the pastures of God." **13(14)** O my God, make them like dead thistles, like dead weeds blown away by the wind.

83 WLC

15 כְּאֵשׁ תִּבְעַר־יָעַר וּכְלֶהָבָה תְּלַהֵט הָרִים׃

16 כֵּן תִּרְדְּפֵם בְּסַעֲרֶךָ וּבְסוּפָתְךָ תְבַהֲלֵם׃

17 מַלֵּא פְנֵיהֶם קָלוֹן וִיבַקְשׁוּ שִׁמְךָ יְהוָה׃

18 יֵבֹשׁוּ וְיִבָּהֲלוּ עֲדֵי־עַד וְיַחְפְּרוּ וְיֹאבֵדוּ׃

19 וְיֵדְעוּ כִּי־אַתָּה שִׁמְךָ יְהוָה לְבַדֶּךָ עֶלְיוֹן עַל־כָּל־הָאָרֶץ׃

맛싸성경

14(히, 83:15) 숲을 삼키는 불같이 산(들)을 태우는 불꽃같이 되셔서 **15(16)** 그래서 주의 강풍으로 그들을 쫓아내시고 주의 폭풍으로 그들을 두렵게 하소서. **16(17)** 그들의 얼굴(들)을 수치로 채우시고 그들로 주의 이름을 찾게 하소서. 여호와시여! **17(18)** 그들로 수치를 당하게 하시고 영원히 정신을 잃게 하시며 그들이 창피를 당하여 멸망당하게 하소서. **18(19)** (그래서 주는) 주의 이름만이 홀로 여호와이시며 모든 땅 위에서 지극히 높으신 분이심을 그들로 알게 하소서.

NET

14(H 83:15) Like the fire that burns down the forest, or the flames that consume the mountainsides, **15(16)** chase them with your gale winds and terrify them with your windstorm. **16(17)** Cover their faces with shame, so they might seek you, O Lord. **17(18)** May they be humiliated and continually terrified. May they die in shame. **18(19)** Then they will know that you alone are the Lord, the Most High over all the earth.

84 WLC

1 לַמְנַצֵּחַ עַל־הַגִּתִּית לִבְנֵי־קֹרַח מִזְמוֹר׃

2 מַה־יְּדִידוֹת מִשְׁכְּנוֹתֶיךָ יְהוָה צְבָאוֹת׃

3 נִכְסְפָה וְגַם־כָּלְתָה ׀ נַפְשִׁי לְחַצְרוֹת יְהוָה לִבִּי וּבְשָׂרִי יְרַנְּנוּ אֶל אֵל־חָי׃

4 גַּם־צִפּוֹר ׀ מָצְאָה בַיִת וּדְרוֹר ׀ קֵן לָהּ אֲשֶׁר־שָׁתָה אֶפְרֹחֶיהָ אֶת־מִזְבְּחוֹתֶיךָ יְהוָה צְבָאוֹת מַלְכִּי וֵאלֹהָי׃

5 אַשְׁרֵי יוֹשְׁבֵי בֵיתֶךָ עוֹד יְהַלְלוּךָ סֶּלָה׃

맛싸성경

(히, 84:1) [지휘자를 위한 깃딧에 맞춘 고라의 아들들을 위한 노래] **1(2)** 주의 성막이 얼마나 사랑스러운지요? 만군의 여호와시여! **2(3)** 내 영혼이 크게 사모하고 또한 그것이 여호와의 뜰을 그리워하나이다. 내 마음과 내 육체가 살아 계신 하나님께 큰 소리로 노래하나이다. **3(4)** 또한 (참)새도 집을 찾았고 제비도 자기의 새끼를 누일 둥지를 주의 제단에서 찾았나이다. 만군의 여호와 나의 왕 그리고 나의 하나님이시여! **4(5)** 복 있는 사람들은 주의 집에 거하는 자들이나이다. 그들은 항상 주를 찬양할 것이니이다. 셀라.

NET

1(H 84:1) For the music director, according to the gittith style; written by the Korahites, a psalm. **(2)** How lovely is the place where you live, O Lord of Heaven's Armies! **2(3)** I desperately want to be in the courts of the Lord's temple. My heart and my entire being shout for joy to the living God. **3(4)** Even the birds find a home there, and the swallow builds a nest where she can protect her young near your altars, O Lord of Heaven's Armies, my King and my God. **4(5)** How blessed are those who live in your temple and praise you continually. (Selah)

84 WLC

6 אַשְׁרֵי אָדָם עוֹז־לוֹ בָךְ מְסִלּוֹת בִּלְבָבָם׃

7 עֹבְרֵי ׀ בְּעֵמֶק הַבָּכָא מַעְיָן יְשִׁיתוּהוּ גַּם־בְּרָכוֹת יַעְטֶה מוֹרֶה׃

8 יֵלְכוּ מֵחַיִל אֶל־חָיִל יֵרָאֶה אֶל־אֱלֹהִים בְּצִיּוֹן׃

9 יְהוָה אֱלֹהִים צְבָאוֹת שִׁמְעָה תְפִלָּתִי הַאֲזִינָה אֱלֹהֵי יַעֲקֹב סֶלָה׃

10 מָגִנֵּנוּ רְאֵה אֱלֹהִים וְהַבֵּט פְּנֵי מְשִׁיחֶךָ׃

11 כִּי טוֹב־יוֹם בַּחֲצֵרֶיךָ מֵאָלֶף בָּחַרְתִּי הִסְתּוֹפֵף בְּבֵית אֱלֹהַי מִדּוּר בְּאָהֳלֵי־רֶשַׁע׃

12 כִּי שֶׁמֶשׁ ׀ וּמָגֵן יְהוָה אֱלֹהִים חֵן וְכָבוֹד יִתֵּן יְהוָה לֹא יִמְנַע־טוֹב לַהֹלְכִים בְּתָמִים׃

13 יְהוָה צְבָאוֹת אַשְׁרֵי אָדָם בֹּטֵחַ בָּךְ׃

맛싸성경

5(히, 84:6) 복 있는 사람은 그의 능력이 주께 있는 사람이나이다. 그들의 마음에 (시온으로 가는) 대로가 있나이다. **6(7)** 바카(눈물)의 골짜기를 지나갈 때 그곳에 샘을 만들어 주고 또한 이른 비가 축복으로 (그곳을) 덮어주나이다(가득하게 하나이다). **7(8)** 그들은 힘에서 힘으로(힘을 얻고) 나아가서 시온에서 하나님 앞에 나타나게 될 것이니이다. **8(9)** 만군의 하나님 여호와여! 내 기도를 들어주소서. 야곱의 하나님이시여! 귀 기울여 주소서. 셀라. **9(10)** 보소서, 우리들의 방패이신 하나님이시여! 주의 기름 부음 받은 자의 얼굴을 살펴보소서. **10(11)** 이는 주의 뜰에서의 하루가 천(날)보다 좋사오며 사악한 자의 천막에서 사는 것보다 나의 하나님의 집에서 문 앞에 거하기를 선택하겠나이다. **11(12)** 이는 여호와 하나님은 태양이시고 방패이심이라. 여호와는 은혜와 영광을 주시니 그는 온전함으로 걷는 자에게 좋은 것을 거절하지 않으시나이다. **12(13)** 만군의 여호와시여! 복 있는 자(들)은 주를 신뢰하는 자들이니이다.

NET

5(H 84:6) How blessed are those who find their strength in you and long to travel the roads that lead to your temple. **6(7)** As they pass through the Baca Valley, he provides a spring for them. The rain even covers it with pools of water. **7(8)** They are sustained as they travel along; each one appears before God in Zion. **8(9)** O Lord God of Heaven's Armies, hear my prayer. Listen, O God of Jacob. (Selah) **9(10)** O God, take notice of our shield. Show concern for your chosen king. **10(11)** Certainly spending just one day in your temple courts is better than spending a thousand elsewhere. I would rather stand at the entrance to the temple of my God than live in the tents of the wicked. **11(12)** For the Lord God is our sovereign protector. The Lord bestows favor and honor; he withholds no good thing from those who have integrity. **12(13)** O Lord of Heaven's Armies, how blessed are those who trust in you.

85 WLC

1 לַמְנַצֵּחַ ׀ לִבְנֵי־קֹרַח מִזְמוֹר׃

2 רָצִיתָ יְהוָה אַרְצֶךָ שַׁבְתָּ [שְׁבוּת כ] (שְׁבִית ק) יַעֲקֹב׃

3 נָשָׂאתָ עֲוֺן עַמֶּךָ כִּסִּיתָ כָל־חַטָּאתָם סֶלָה׃

4 אָסַפְתָּ כָל־עֶבְרָתֶךָ הֱשִׁיבוֹתָ מֵחֲרוֹן אַפֶּךָ׃

5 שׁוּבֵנוּ אֱלֹהֵי יִשְׁעֵנוּ וְהָפֵר כַּעַסְךָ עִמָּנוּ׃

6 הַלְעוֹלָם תֶּאֱנַף־בָּנוּ תִּמְשֹׁךְ אַפְּךָ לְדֹר וָדֹר׃

7 הֲלֹא־אַתָּה תָּשׁוּב תְּחַיֵּנוּ וְעַמְּךָ יִשְׂמְחוּ־בָךְ׃

맛싸성경

(히, 85:1) [지휘자를 위한 고라 자손들의 시] **1(2)** 여호와시여! 주께서 주의 땅을 기뻐하셔서 야곱의 포로에서 돌아오게 하셨나이다. **2(3)** 주께서 주의 백성의 불법을 용서하셨고 그들의 모든 죄를 덮어주셨나이다. 셀라. **3(4)** 주께서 주의 모든 분노를 거두시고 주의 불타는 진노에서 돌이키셨나이다. **4(5)** 우리의 구원의 하나님이시여! 우리를 돌이키시고 우리와 함께 한 주의 괴로움을 제거해 주소서. **5(6)** 주께서 영원히 우리에게 노하시며 주의 노를 세대와 세대에게로 끌고 가시나이까? **6(7)** 주께서 우리를 다시 살려 돌이키셔서 주의 백성이 주 안에서 기뻐하도록 하지 않으시겠나이까?

NET

1(H 85:1) For the music director, written by the Korahites, a psalm. **(2)** O Lord, you showed favor to your land; you restored the well-being of Jacob. **2(3)** You pardoned the wrongdoing of your people; you forgave all their sin. (Selah) **3(4)** You withdrew all your fury; you turned back from your raging anger. **4(5)** Restore us, O God our deliverer. Do not be displeased with us. **5(6)** Will you stay mad at us forever? Will you remain angry throughout future generations? **6(7)** Will you not revive us once more? Then your people will rejoice in you.

85 WLC

8 הַרְאֵנוּ יְהוָה חַסְדֶּךָ וְיֶשְׁעֲךָ תִּתֶּן־לָנוּ׃

9 אֶשְׁמְעָה מַה־יְדַבֵּר הָאֵל ׀ יְהוָה כִּי ׀ יְדַבֵּר שָׁלוֹם אֶל־עַמּוֹ

וְאֶל־חֲסִידָיו וְאַל־יָשׁוּבוּ לְכִסְלָה׃

10 אַךְ ׀ קָרוֹב לִירֵאָיו יִשְׁעוֹ לִשְׁכֹּן כָּבוֹד בְּאַרְצֵנוּ׃

11 חֶסֶד־וֶאֱמֶת נִפְגָּשׁוּ צֶדֶק וְשָׁלוֹם נָשָׁקוּ׃

12 אֱמֶת מֵאֶרֶץ תִּצְמָח וְצֶדֶק מִשָּׁמַיִם נִשְׁקָף׃

13 גַּם־יְהוָה יִתֵּן הַטּוֹב וְאַרְצֵנוּ תִּתֵּן יְבוּלָהּ׃

14 צֶדֶק לְפָנָיו יְהַלֵּךְ וְיָשֵׂם לְדֶרֶךְ פְּעָמָיו׃

맛싸성경

7(히, 85:8) 여호와시여! 주의 인애를 우리에게 보여 주시고 주의 구원을 우리에게 허락하소서. **8(9)** 여호와 하나님께서 말씀하시는 무엇이든지 나는 들을 것이니 이는 주께서 그의 백성과 그 신실한 자들에게 구원을 말씀하셨음이니이다. 주께서 그들로 어리석게 (예전으로) 돌아가지 않게 하실 것이니이다. **9(10)** 참으로 그(분의) 구원이 그분을 경외하는 자에게 가까이 있어서 영광이 우리의 땅에 거하시도다. **10(11)** 인애와 진리가 서로 만나고 의와 평안이 입 맞추도다. **11(12)** 진리가 땅에서부터 솟아나고 의가 하늘들에서부터 내려다보도다. **12(13)** 참으로 여호와께서는 좋은 것을 주시고 우리의 땅은 그의 소산을 낼 것이로다. **13(14)** 의가 그분 앞에서 걸으며 그분의 걸음들을 위한 길을 만드는도다.

NET

7(H 85:8) O Lord, show us your loyal love. Bestow on us your deliverance. **8(9)** I will listen to what God the Lord says. For he will make peace with his people, his faithful followers. Yet they must not return to their foolish ways. **9(10)** Certainly his loyal followers will soon experience his deliverance; then his splendor will again appear in our land. **10(11)** Loyal love and faithfulness meet; deliverance and peace greet each other with a kiss. **11(12)** Faithfulness grows from the ground, and deliverance looks down from the sky. **12(13)** Yes, the Lord will bestow his good blessings, and our land will yield its crops. **13(14)** Deliverance goes before him, and prepares a pathway for him.

86 WLC

1 תְּפִלָּה לְדָוִד הַטֵּה־יְהוָה אָזְנְךָ עֲנֵנִי כִּי־עָנִי וְאֶבְיוֹן אָנִי׃

2 שָׁמְרָה נַפְשִׁי כִּי־חָסִיד אָנִי הוֹשַׁע עַבְדְּךָ אַתָּה אֱלֹהַי הַבּוֹטֵחַ אֵלֶיךָ׃

3 חָנֵּנִי אֲדֹנָי כִּי אֵלֶיךָ אֶקְרָא כָּל־הַיּוֹם׃

4 שַׂמֵּחַ נֶפֶשׁ עַבְדֶּךָ כִּי אֵלֶיךָ אֲדֹנָי נַפְשִׁי אֶשָּׂא׃

5 כִּי־אַתָּה אֲדֹנָי טוֹב וְסַלָּח וְרַב־חֶסֶד לְכָל־קֹרְאֶיךָ׃

맛싸성경

1 [다윗의 기도] 여호와시여! 주의 귀를 향하시고 내게 응답하소서. 이는 내가 가난하고 궁핍하나이다. 2 내 영혼을 지켜 주소서. 이는 나는 경건한 자(신실한 자, 성도)이나이다. 주는 내 하나님이시니 주를 신뢰하는 주의 종을 구원하여 주소서. 3 주님이시여! 내게 은혜를 베풀어 주소서. 이는 내가 주께 하루 종일 부르짖음이니이다. 4 주님이시여! 주의 종의 영혼을 즐겁게 하소서. 이는 내 영혼을 주께 드나이다(내 영혼이 주를 사모하나이다). 5 주님이시여! 이는 주는 선하시고 용서하시며 주께 부르짖는 모든 자에게 인애가 많으심이니이다.

NET

1 A prayer of David. Listen, O Lord. Answer me. For I am oppressed and needy. 2 Protect me, for I am loyal. You are my God; deliver your servant who trusts in you. 3 Have mercy on me, O Lord, for I cry out to you all day long. 4 Make your servant glad, for to you, O Lord, I pray. 5 Certainly, O Lord, you are kind and forgiving, and show great faithfulness to all who cry out to you.

86 WLC

6 הַאֲזִינָה יְהוָה תְּפִלָּתִי וְהַקְשִׁיבָה בְּקוֹל תַּחֲנוּנוֹתָי׃

7 בְּיוֹם צָרָתִי אֶקְרָאֶךָּ כִּי תַעֲנֵנִי׃

8 אֵין־כָּמוֹךָ בָאֱלֹהִים ׀ אֲדֹנָי וְאֵין כְּמַעֲשֶׂיךָ׃

9 כָּל־גּוֹיִם ׀ אֲשֶׁר עָשִׂיתָ יָבוֹאוּ ׀ וְיִשְׁתַּחֲווּ לְפָנֶיךָ אֲדֹנָי וִיכַבְּדוּ לִשְׁמֶךָ׃

10 כִּי־גָדוֹל אַתָּה וְעֹשֵׂה נִפְלָאוֹת אַתָּה אֱלֹהִים לְבַדֶּךָ׃

맛싸성경

6 여호와시여! 나의 기도에 귀 기울여 주소서. 내 간청하는 소리를 들어주소서. 7 나의 곤란한 날에 내가 주께 부르짖으리니 이는 주께서 내게 응답하실 것이기 때문이니이다. 8 주님이시여! 신들 중에서 주와 같은 분은 없으며 주의 행하심과 같은 일도 없나이다. 9 주님이시여! 주께서 만든 모든 민족들이 와서 주의 앞에서 예배할 것이니이다. 그들이 주의 이름을 영광스럽게 할 것이니이다. 10 이는 주는 위대하시며 놀라운 일을 행하시기 때문이니이다. 주는 주 한 분만이 하나님이시나이다.

NET

6 O Lord, hear my prayer. Pay attention to my plea for mercy. 7 In my time of trouble I cry out to you, for you will answer me. 8 None can compare to you among the gods, O Lord. Your exploits are incomparable. 9 All the nations, whom you created, will come and worship you, O Lord. They will honor your name. 10 For you are great and do amazing things. You alone are God.

86 WLC

11 הוֹרֵנִי יְהוָה ׀ דַּרְכֶּךָ אֲהַלֵּךְ בַּאֲמִתֶּךָ יַחֵד לְבָבִי לְיִרְאָה שְׁמֶךָ׃

12 אוֹדְךָ ׀ אֲדֹנָי אֱלֹהַי בְּכָל־לְבָבִי וַאֲכַבְּדָה שִׁמְךָ לְעוֹלָם׃

13 כִּי־חַסְדְּךָ גָּדוֹל עָלָי וְהִצַּלְתָּ נַפְשִׁי מִשְּׁאוֹל תַּחְתִּיָּה׃

14 אֱלֹהִים ׀ זֵדִים קָמוּ־עָלַי וַעֲדַת עָרִיצִים בִּקְשׁוּ נַפְשִׁי

וְלֹא שָׂמוּךָ לְנֶגְדָּם׃

15 וְאַתָּה אֲדֹנָי אֵל־רַחוּם וְחַנּוּן אֶרֶךְ אַפַּיִם וְרַב־חֶסֶד וֶאֱמֶת׃

16 פְּנֵה אֵלַי וְחָנֵּנִי תְּנָה־עֻזְּךָ לְעַבְדֶּךָ וְהוֹשִׁיעָה לְבֶן־אֲמָתֶךָ׃

17 עֲשֵׂה־עִמִּי אוֹת לְטוֹבָה וְיִרְאוּ שֹׂנְאַי וְיֵבֹשׁוּ

כִּי־אַתָּה יְהוָה עֲזַרְתַּנִי וְנִחַמְתָּנִי׃

맛싸성경

11 여호와시여! 주의 길을 가르쳐 주셔서 내가 주의 진리에서 걷게 하소서. 주의 이름을 경외하도록 내 마음을 집중하게 하소서. 12 주님 내 하나님이시여! 내가 전심으로 주를 찬양하고 주의 이름을 영원히 영광스럽게 하리이다. 13 이는 주의 인애가 내게 크시며 내 생명을 낮은 셰올에서부터 구출해 주셨음이니이다. 14 하나님이시여! 자만한 자들이 나를 향해서 일어났으며 난폭한 자들의 무리가 내 생명을 찾고 있으니 그들은 그들 앞에 주를 두지 않았나이다. 15 그러나 주님이시여! 주는 긍휼히 여기시고 은혜를 베푸시며 노하심이 더디고 은혜와 진리가 많으시나이다. 16 내게로 (방향을) 돌려주셔서 내게 은혜를 베푸시고 주의 종에게 주의 힘을 주소서. 주의 여종의 아들을 구원하소서. 17 선을 위한 흔적을 내게 행하셔서 나를 미워하는 자들이 보게 하시며 그들로 수치를 당하게 하소서. 이는 주 여호와께서 나를 도와주셨으며 나를 위로하셨음이니이다.

NET

11 O Lord, teach me how you want me to live. Then I will obey your commands. Make me wholeheartedly committed to you. 12 O Lord, my God, I will give you thanks with my whole heart. I will honor your name continually. 13 For you will extend your great loyal love to me and will deliver my life from the depths of Sheol. 14 O God, arrogant men attack me; a gang of ruthless men, who do not respect you, seek my life. 15 But you, O Lord, are a compassionate and merciful God. You are patient and demonstrate great loyal love and faithfulness. 16 Turn toward me and have mercy on me. Give your servant your strength. Deliver this son of your female servant. 17 Show me evidence of your favor. Then those who hate me will see it and be ashamed, for you, O Lord, will help me and comfort me.

87 WLC

1 לִבְנֵי־קֹרַח מִזְמוֹר שִׁיר יְסוּדָתוֹ בְּהַרְרֵי־קֹדֶשׁ׃

2 אֹהֵב יְהוָה שַׁעֲרֵי צִיּוֹן מִכֹּל מִשְׁכְּנוֹת יַעֲקֹב׃

3 נִכְבָּדוֹת מְדֻבָּר בָּךְ עִיר הָאֱלֹהִים סֶלָה׃

4 אַזְכִּיר ׀ רַהַב וּבָבֶל לְיֹדְעָי הִנֵּה פְלֶשֶׁת וְצוֹר עִם־כּוּשׁ זֶה יֻלַּד־שָׁם׃

5 וּלְצִיּוֹן ׀ יֵאָמַר אִישׁ וְאִישׁ יֻלַּד־בָּהּ וְהוּא יְכוֹנְנֶהָ עֶלְיוֹן׃

6 יְהוָה יִסְפֹּר בִּכְתוֹב עַמִּים זֶה יֻלַּד־שָׁם סֶלָה׃

7 וְשָׁרִים כְּחֹלְלִים כָּל־מַעְיָנַי בָּךְ׃

맛싸성경

1 [고라 자손을 위한 시. 노래] 그분의 기초가 거룩한 산(들) 위에 있도다. 2 여호와는 야곱의 모든 거주지보다 시온의 문들을 더 사랑하시도다. 3 하나님의 도시여, 영광스러운 일들이 네게 말해질 것이라. 쎌라. 4 내가 나를 아는 자들에게 라합과 바벨론을 기억나게 하겠으며 보아라, 블레셋과 두로와 구스 사람들에 대하여 "이 사람(들)이 거기서 태어났다."고 할 것이라. 5 시온에 관해서 말해질 것이라. "이 사람과 (저) 사람이 거기에서 태어났다." 가장 높으신 분께서 그것을 세우실 것이라. 6 여호와께서 백성들의 책에서 "이 사람은 거기에서 태어났다."고 기록할 것이라. 쎌라. 7 노래하는 자들과 춤추는 자들같이 "내 근원이 네게 있다."고 말할 것이라.

NET

1 Written by the Korahites; a psalm, a song. The Lord's city is in the holy hills. 2 The Lord loves the gates of Zion more than all the dwelling places of Jacob. 3 People say wonderful things about you, O city of God. (Selah) 4 I mention Rahab and Babylon to my followers. Here are Philistia and Tyre, along with Ethiopia. It is said of them, "This one was born there." 5 But it is said of Zion's residents, "Each one of these was born in her, and the Most High makes her secure." 6 The Lord writes in the census book of the nations, "This one was born there." (Selah) 7 As for the singers, as well as the pipers—all of them sing within your walls.

88 WLC

1 שִׁיר מִזְמוֹר לִבְנֵי קֹרַח לַמְנַצֵּחַ עַל־מָחֲלַת לְעַנּוֹת מַשְׂכִּיל לְהֵימָן הָאֶזְרָחִי׃

2 יְהוָה אֱלֹהֵי יְשׁוּעָתִי יוֹם־צָעַקְתִּי בַלַּיְלָה נֶגְדֶּךָ׃

3 תָּבוֹא לְפָנֶיךָ תְּפִלָּתִי הַטֵּה־אָזְנְךָ לְרִנָּתִי׃

4 כִּי־שָׂבְעָה בְרָעוֹת נַפְשִׁי וְחַיַּי לִשְׁאוֹל הִגִּיעוּ׃

5 נֶחְשַׁבְתִּי עִם־יוֹרְדֵי בוֹר הָיִיתִי כְּגֶבֶר אֵין־אֱיָל׃

6 בַּמֵּתִים חָפְשִׁי כְּמוֹ חֲלָלִים ׀ שֹׁכְבֵי קֶבֶר אֲשֶׁר לֹא זְכַרְתָּם עוֹד וְהֵמָּה מִיָּדְךָ נִגְזָרוּ׃

7 שַׁתַּנִי בְּבוֹר תַּחְתִּיּוֹת בְּמַחֲשַׁכִּים בִּמְצֹלוֹת׃

8 עָלַי סָמְכָה חֲמָתֶךָ וְכָל־מִשְׁבָּרֶיךָ עִנִּיתָ סֶּלָה׃

맛싸성경

(히, 88:1) [고라 자손을 위한 시. 노래. 지휘자를 위한 마할랏 레안놋에 맞춘 에스라인 헤만의 마스길] 1(2) 여호와 내 구원의 하나님이시여! 낮에도 내가 부르짖었으며 밤에도 주 앞에 있나이다. 2(3) 내 기도가 주 앞으로 이르게 하시고 주의 귀를 내 애통에 향하소서. 3(4) 이는 내 영혼은 고통으로 가득하고 나의 생명이 셰올에 이르렀기 때문이니이다. 4(5) 나는 구덩이로 내려가는 자들같이 여겨졌고 나는 힘이 없는 사람같이 되었으며 5(6) 죽은 자들 가운데 자유롭고(던져졌고) 마치 살해당한 자들이 무덤에 놓여 있는 것과 같으며 주는 그들을 더 이상 기억하지 않으시니 그들은 주의 손으로부터 잘려 나간 자들이니이다. 6(7) 주는 나를 가장 깊은 구덩이 어두운 곳 깊은 곳에 두셨나이다. 7(8) 내게 주의 진노하심이 놓였으며 주의 모든 파도들이 맹렬히 치나이다. 셀라.

NET

1(H 88:1) A song, a psalm written by the Korahites, for the music director, according to the machalath-leannoth style; a well-written song by Heman the Ezrahite. (2) O Lord God who delivers me, by day I cry out and at night I pray before you. 2(3) Listen to my prayer. Pay attention to my cry for help. 3(4) For my life is filled with troubles, and I am ready to enter Sheol. 4(5) They treat me like those who descend into the grave. I am like a helpless man, 5(6) adrift among the dead, like corpses lying in the grave whom you remember no more and who are cut off from your power. 6(7) You place me in the lowest regions of the Pit, in the dark places, in the watery depths. 7(8) Your anger bears down on me, and you overwhelm me with all your waves. (Selah)

88 WLC

9 הִרְחַקְתָּ מְיֻדָּעַי מִמֶּנִּי שַׁתַּנִי תוֹעֵבוֹת לָמוֹ כָּלֻא וְלֹא אֵצֵא׃

10 עֵינִי דָאֲבָה מִנִּי עֹנִי קְרָאתִיךָ יְהוָה בְּכָל־יוֹם שִׁטַּחְתִּי אֵלֶיךָ כַפָּי׃

11 הֲלַמֵּתִים תַּעֲשֶׂה־פֶּלֶא אִם־רְפָאִים יָקוּמוּ ׀ יוֹדוּךָ סֶּלָה׃

12 הַיְסֻפַּר בַּקֶּבֶר חַסְדֶּךָ אֱמוּנָתְךָ בָּאֲבַדּוֹן׃

13 הֲיִוָּדַע בַּחֹשֶׁךְ פִּלְאֶךָ וְצִדְקָתְךָ בְּאֶרֶץ נְשִׁיָּה׃

14 וַאֲנִי ׀ אֵלֶיךָ יְהוָה שִׁוַּעְתִּי וּבַבֹּקֶר תְּפִלָּתִי תְקַדְּמֶךָּ׃

맛싸성경

8(히, 88:9) 주는 내 아는 자들을 내게서 멀리 떠나게 하셨으며 나를 그(들)에게 역겨운 자로 두셨나이다. 나는 갇히게 되어 나갈 수가 없나이다. **9(10)** 내 눈은 고통으로 인하여 내게서 흐려졌나이다. 여호와시여! 내가 하루 종일 주께 부르짖으며 내 손을 주께 펼쳤나이다. **10(11)** 주께서 죽은 자들에게 놀라운 일을 하시겠나이까? 혹은 죽은 자들이 일어나서 주께 감사하게 하시겠나이까? 셀라. **11(12)** 주의 인애가 무덤에서 주의 신실함이 지하 세상에서 선포되게 하시겠나이까? **12(13)** 주의 놀라운 일이 흑암에서 주의 의가 잊힌 땅에서 알려지게 하시겠나이까? **13(14)** 여호와시여! 그러나 나는 주께 도움을 요청하니 아침에 내 기도가 주 앞에 이를 것이니이다.

NET

8(H 88:9) You cause those who know me to keep their distance; you make me an appalling sight to them. I am trapped and cannot get free. **9(10)** My eyes grow weak because of oppression. I call out to you, O Lord, all day long; I spread out my hands in prayer to you. **10(11)** Do you accomplish amazing things for the dead? Do the departed spirits rise up and give you thanks? (Selah) **11(12)** Is your loyal love proclaimed in the grave, or your faithfulness in the place of the dead? **12(13)** Are your amazing deeds experienced in the dark region, or your deliverance in the land of oblivion? **13(14)** As for me, I cry out to you, O Lord; in the morning my prayer confronts you.

88 WLC

15 לָמָה יְהוָה תִּזְנַח נַפְשִׁי תַּסְתִּיר פָּנֶיךָ מִמֶּנִּי׃

16 עָנִי אֲנִי וְגֹוֵעַ מִנֹּעַר נָשָׂאתִי אֵמֶיךָ אָפוּנָה׃

17 עָלַי עָבְרוּ חֲרוֹנֶיךָ בִּעוּתֶיךָ צִמְּתוּתֻנִי׃

18 סַבּוּנִי כַמַּיִם כָּל־הַיּוֹם הִקִּיפוּ עָלַי יָחַד׃

19 הִרְחַקְתָּ מִמֶּנִּי אֹהֵב וָרֵעַ מְיֻדָּעַי מַחְשָׁךְ׃

맛싸성경

14(히, 88:15) 여호와시여! 어찌하여 내 영혼을 버리시나이까? 주의 얼굴을 내게서 숨기시나이까? **15(16)** 나는 고통당하고 어릴 때 죽을 뻔하며 내가 주의 공포(들)를 감당하였으나 (나는) 괴로워하나이다. **16(17)** 내게로 주의 진노가 지나갔으며 주의 공포들이 나를 파괴하였나이다. **17(18)** 그들이 하루 종일 물같이 나를 둘러쌌으며 다 같이 나를 포위하였나이다. **18(19)** 주께서 (내) 사랑하는 자와 친구를 멀리 떠나게 하셨으니 내가 잘 아는 자는 (이제) 어둠뿐이나이다.

NET

14(H 88:15) O Lord, why do you reject me, and pay no attention to me? **15(16)** I am oppressed and have been on the verge of death since my youth. I have been subjected to your horrors and am numb with pain. **16(17)** Your anger overwhelms me; your terrors destroy me. **17(18)** They surround me like water all day long; they join forces and encircle me. **18(19)** You cause my friends and neighbors to keep their distance; those who know me leave me alone in the darkness.

89 WLC

1 מַשְׂכִּיל לְאֵיתָן הָאֶזְרָחִי׃

2 חַסְדֵי יְהוָה עוֹלָם אָשִׁירָה לְדֹר וָדֹר ׀ אוֹדִיעַ אֱמוּנָתְךָ בְּפִי׃

3 כִּי־אָמַרְתִּי עוֹלָם חֶסֶד יִבָּנֶה שָׁמַיִם ׀ תָּכִן אֱמוּנָתְךָ בָהֶם׃

4 כָּרַתִּי בְרִית לִבְחִירִי נִשְׁבַּעְתִּי לְדָוִד עַבְדִּי׃

5 עַד־עוֹלָם אָכִין זַרְעֶךָ וּבָנִיתִי לְדֹר־וָדוֹר כִּסְאֲךָ סֶלָה׃

맛싸성경

(히, 89:1) [에스라인 에단의 마스길] **1(2)** 나는 여호와의 인애를 영원히 노래하며 대대에 주의 신실하심을 내 입으로 알게 하리이다. **2(3)** "이는 인애는 영원히 세워질 것이며 주는 주의 신실함을 하늘에 확고히 세우실 것이라."라고 내가 말하였나이다. **3(4)** (주께서 이르시기를) "내가 나의 선택한 자와 언약을 맺었으며 내가 나의 종 다윗에게 맹세하였고 **4(5)** 내가 네 씨를 영원히 세우며 내가 네 보좌를 대대에 세울 것이라." 셀라.

NET

1(H 89:1) A well-written song by Ethan the Ezrahite. **(2)** I will sing continually about the Lord's faithful deeds; to future generations I will proclaim your faithfulness. **2(3)** For I say, "Loyal love is permanently established; in the skies you set up your faithfulness." **3(4)** The Lord said, "I have made a covenant with my chosen one; I have made a promise on oath to David, my servant: **4(5)** 'I will give you an eternal dynasty and establish your throne throughout future generations.'" (Selah)

89 WLC

6 וְיוֹדוּ שָׁמַיִם פִּלְאֲךָ יְהוָה אַף־אֱמוּנָתְךָ בִּקְהַל קְדֹשִׁים׃

7 כִּי מִי בַשַּׁחַק יַעֲרֹךְ לַיהוָה יִדְמֶה לַיהוָה בִּבְנֵי אֵלִים׃

8 אֵל נַעֲרָץ בְּסוֹד־קְדֹשִׁים רַבָּה וְנוֹרָא עַל־כָּל־סְבִיבָיו׃

9 יְהוָה ׀ אֱלֹהֵי צְבָאוֹת מִי־כָמוֹךָ חֲסִין ׀ יָהּ וֶאֱמוּנָתְךָ סְבִיבוֹתֶיךָ׃

10 אַתָּה מוֹשֵׁל בְּגֵאוּת הַיָּם בְּשׂוֹא גַלָּיו אַתָּה תְשַׁבְּחֵם׃

11 אַתָּה דִכִּאתָ כֶחָלָל רָהַב בִּזְרוֹעַ עֻזְּךָ פִּזַּרְתָּ אוֹיְבֶיךָ׃

12 לְךָ שָׁמַיִם אַף־לְךָ אָרֶץ תֵּבֵל וּמְלֹאָהּ אַתָּה יְסַדְתָּם׃

맛싸성경

5(히, 89:6) 여호와시여! 하늘이 주의 놀라운 일을 노래하리니 참으로 주의 신실함이 거룩한 자들의 회중에서 노래할 것이니이다. **6(7)** 이는 누가 하늘에서 여호와께 마주할 수 있으며 신들의 아들들 중에서 (누가) 여호와와 같겠나이까? **7(8)** 하나님은 거룩한 자들의 회의에서 크게 두려움을 받으며 그분의 주위에 있는 모든 자들에게 경외를 받으실 분이시나이다. **8(9)** 만군의 하나님 여호와시여! 주와 같이 강력한 자가 누구이나이까? 여호와시여! 주의 주위에 있는 자들에게 주의 신실성이 있나이다. **9(10)** 주께서 바다의 (솟아) 오름을 다스리시며 그의 파도들이 일어날 때 주는 그들을 잠잠하게 하시나이다. **10(11)** 주께서 라합을 죽임당한 자같이 치셨고 주의 힘으로(강한 팔로) 주의 원수들을 흩으셨나이다. **11(12)** 하늘도 주의 것이고 땅도 주의 것이며 세상과 그 안에 채워진 것도 주께서 그것들을 세우셨나이다.

NET

5(H 89:6) O Lord, the heavens praise your amazing deeds, as well as your faithfulness in the angelic assembly. **6(7)** For who in the skies can compare to the Lord? Who is like the Lord among the heavenly beings, **7(8)** a God who is honored in the great angelic assembly, and more awesome than all who surround him? **8(9)** O Lord God of Heaven's Armies! Who is strong like you, O Lord? Your faithfulness surrounds you. **9(10)** You rule over the proud sea. When its waves surge, you calm them. **10(11)** You crushed the Proud One and killed it; with your strong arm you scattered your enemies. **11(12)** The heavens belong to you, as does the earth. You made the world and all it contains.

89 .WLC

13 צָפוֹן וְיָמִין אַתָּה בְרָאתָם תָּבוֹר וְחֶרְמוֹן בְּשִׁמְךָ יְרַנֵּנוּ׃

14 לְךָ זְרוֹעַ עִם־גְּבוּרָה תָּעֹז יָדְךָ תָּרוּם יְמִינֶךָ׃

15 צֶדֶק וּמִשְׁפָּט מְכוֹן כִּסְאֶךָ חֶסֶד וֶאֱמֶת יְקַדְּמוּ פָנֶיךָ׃

16 אַשְׁרֵי הָעָם יוֹדְעֵי תְרוּעָה יְהוָה בְּאוֹר־פָּנֶיךָ יְהַלֵּכוּן׃

17 בְּשִׁמְךָ יְגִילוּן כָּל־הַיּוֹם וּבְצִדְקָתְךָ יָרוּמוּ׃

18 כִּי־תִפְאֶרֶת עֻזָּמוֹ אָתָּה וּבִרְצֹנְךָ [תָּרִים כ] (תָּרוּם ק) קַרְנֵנוּ׃

19 כִּי לַיהוָה מָגִנֵּנוּ וְלִקְדוֹשׁ יִשְׂרָאֵל מַלְכֵּנוּ׃

맛싸성경

12(히, 89:13) 북과 남도 주께서 그것들을 창조하셨고 다볼과 헬몬이 주의 이름으로 기뻐 소리치나이다. **13(14)** 주께 능력(의) 팔이 있고 주의 손은 강하며 주의 오른손은 높이 들려 있나이다. **14(15)** (정)의와 공의가 주의 보좌의 기초이며 인애와 진리가 주의 얼굴 앞으로 나가나이다. **15(16)** 복 있는 백성은 (기쁨으로) 외침을 아는 자들이라. 여호와시여! 그들은 주의 얼굴빛으로 걸어 다니나이다. **16(17)** 그들은 온종일 주의 이름으로 즐거워하고 주의 의로 그들은 높아졌나이다. **17(18)** 이는 주는 그들의 힘의 영광이시고 주의 기쁜 뜻으로 우리의 뿔을 높이셨나이다. **18(19)** 이는 우리 방패는 여호와께 있고 우리 왕은 이스라엘의 거룩한 분에게 있나이다.

NET

12(H 89:13) You created the north and the south. Tabor and Hermon rejoice in your name. **13(14)** Your arm is powerful, your hand strong, your right hand victorious. **14(15)** Equity and justice are the foundation of your throne. Loyal love and faithfulness characterize your rule. **15(16)** How blessed are the people who worship you! O Lord, they experience your favor. **16(17)** They rejoice in your name all day long, and are vindicated by your justice. **17(18)** For you give them splendor and strength. By your favor we are victorious. **18(19)** For our shield belongs to the Lord, our king to the Holy One of Israel.

89 WLC

20 אָז דִּבַּרְתָּ־בְחָזוֹן לַחֲסִידֶיךָ וַתֹּאמֶר שִׁוִּיתִי עֵזֶר עַל־גִּבּוֹר
הֲרִימוֹתִי בָחוּר מֵעָם׃

21 מָצָאתִי דָּוִד עַבְדִּי בְּשֶׁמֶן קָדְשִׁי מְשַׁחְתִּיו׃

22 אֲשֶׁר יָדִי תִּכּוֹן עִמּוֹ אַף־זְרוֹעִי תְאַמְּצֶנּוּ׃

23 לֹא־יַשִּׁא אוֹיֵב בּוֹ וּבֶן־עַוְלָה לֹא יְעַנֶּנּוּ׃

24 וְכַתּוֹתִי מִפָּנָיו צָרָיו וּמְשַׂנְאָיו אֶגּוֹף׃

25 וֶאֱמוּנָתִי וְחַסְדִּי עִמּוֹ וּבִשְׁמִי תָּרוּם קַרְנוֹ׃

맛싸성경

19(히, 89:20) 그때 주께서 주의 신실한 자들에게 환상 중에 말씀하셨고 이르셨도다. "내가 용사에게 도움을 주었고 내가 백성 중에서 선택된 자를 높였도다. **20(21)** 내가 내 종 다윗을 찾았고 내 거룩한 기름으로 내가 그에게 기름 부었도다. **21(22)** 그러므로 나의 손이 그와 함께 견고하게 되며 참으로 내 팔이 그를 강하게 할 것이라. **22(23)** 원수는 그에게 악하게 대하지 못하고 불의한 아들도 그를 괴롭히지 못할 것이라. **23(24)** 내가 그 대적자를 그 앞에서 쳐부수고 그를 미워하는 자들을 내가 칠 것이라. **24(25)** 내 신실함과 내 인애가 그와 함께하고 내 이름으로 그의 뿔이 높아질 것이라.

NET

19(H 89:20) Then you spoke through a vision to your faithful followers and said: "I have placed a young hero over a warrior; I have raised up a young man from the people. **20(21)** I have discovered David, my servant. With my holy oil I have anointed him as king. **21(22)** My hand will support him, and my arm will strengthen him. **22(23)** No enemy will be able to exact tribute from him; a violent oppressor will not be able to humiliate him. **23(24)** I will crush his enemies before him; I will strike down those who hate him. **24(25)** He will experience my faithfulness and loyal love, and by my name he will win victories.

89 WLC

26 וְשַׂמְתִּי בַיָּם יָדוֹ וּבַנְּהָרוֹת יְמִינוֹ׃

27 הוּא יִקְרָאֵנִי אָבִי אָתָּה אֵלִי וְצוּר יְשׁוּעָתִי׃

28 אַף־אָנִי בְּכוֹר אֶתְּנֵהוּ עֶלְיוֹן לְמַלְכֵי־אָרֶץ׃

29 לְעוֹלָם [אֶשְׁמוֹר כ] (אֶשְׁמָר ק) לוֹ חַסְדִּי וּבְרִיתִי נֶאֱמֶנֶת לוֹ׃

30 וְשַׂמְתִּי לָעַד זַרְעוֹ וְכִסְאוֹ כִּימֵי שָׁמָיִם׃

맛싸성경

25(히, 89:26) 내가 그의 손을 바다 위에 두고 그의 오른손을 강들 위에 둘 것이라. **26(27)** 그가 내게 '주는 내 아버지 내 하나님 내 구원의 반석이시라.'고 소리칠 것이라. **27(28)** 참으로 내가 그를 장자로 땅의 왕들 중에서 지극히 높은 자로 둘 것이라. **28(29)** 내가 그에게 내 인애를 영원히 지키고 내 언약을 그에게 신실하게 하리라. **29(30)** 내가 그의 씨를 영원히 세워서 그의 보좌를 하늘(들)의 날들과 같이 둘 것이라.

NET

25(H 89:26) I will place his hand over the sea, his right hand over the rivers. **26(27)** He will call out to me, 'You are my father, my God, and the protector who delivers me.' **27(28)** I will appoint him to be my firstborn son, the most exalted of the earth's kings. **28(29)** I will always extend my loyal love to him, and my covenant with him is secure. **29(30)** I will give him an eternal dynasty and make his throne as enduring as the skies above.

89 WLC

31 אִם־יַעַזְבוּ בָנָיו תּוֹרָתִי וּבְמִשְׁפָּטַי לֹא יֵלֵכוּן׃

32 אִם־חֻקֹּתַי יְחַלֵּלוּ וּמִצְוֹתַי לֹא יִשְׁמֹרוּ׃

33 וּפָקַדְתִּי בְשֵׁבֶט פִּשְׁעָם וּבִנְגָעִים עֲוֹנָם׃

34 וְחַסְדִּי לֹא־אָפִיר מֵעִמּוֹ וְלֹא־אֲשַׁקֵּר בֶּאֱמוּנָתִי׃

35 לֹא־אֲחַלֵּל בְּרִיתִי וּמוֹצָא שְׂפָתַי לֹא אֲשַׁנֶּה׃

36 אַחַת נִשְׁבַּעְתִּי בְקָדְשִׁי אִם־לְדָוִד אֲכַזֵּב׃

37 זַרְעוֹ לְעוֹלָם יִהְיֶה וְכִסְאוֹ כַשֶּׁמֶשׁ נֶגְדִּי׃

38 כְּיָרֵחַ יִכּוֹן עוֹלָם וְעֵד בַּשַּׁחַק נֶאֱמָן סֶלָה׃

맛싸성경

30(히, 89:31) 만일 그의 아들들이 내 율법을 버리고 그들이 내 공의로 걷지 않으며 **31(32)** 또 그들이 내 규례를 더럽히고 내 명령을 지키지 않으면 **32(33)** 그때 내가 위반을 지팡이로 그들의 부정을 재앙으로 심판할 것이라. **33(34)** 그러나 내 인애를 그들로부터 깨지는 않을 것이며 나의 신실함을 거짓되게 하지도 않을 것이라. **34(35)** 내 언약을 내가 더럽히지도 않으며 내 입술에서 나온 것을 변경하지도 않을 것이라. **35(36)** 내가 나의 거룩함으로 한번 맹세하였으니 나는 다윗에게 거짓말하지 않을 것이라. **36(37)** 그의 씨(후손)가 영원히 있으며 그의 보좌는 해 같이 내 앞에 있을 것이라. **37(38)** 그것은 달같이 하늘에 있는 신실한 증인같이 영원히 견고할 것이라." 셀라.

NET

30(H 89:31) If his sons reject my law and disobey my regulations, **31(32)** if they break my rules and do not keep my commandments, **32(33)** I will punish their rebellion by beating them with a club, their sin by inflicting them with bruises. **33(34)** But I will not remove my loyal love from him nor be unfaithful to my promise. **34(35)** I will not break my covenant or go back on what I promised. **35(36)** Once and for all I have vowed by my own holiness, I will never deceive David. **36(37)** His dynasty will last forever. His throne will endure before me, like the sun; **37(38)** it will remain stable, like the moon. His throne will endure like the skies." (Selah)

89 WLC

39 וְאַתָּה זָנַחְתָּ וַתִּמְאָס הִתְעַבַּרְתָּ עִם־מְשִׁיחֶךָ׃

40 נֵאַרְתָּה בְּרִית עַבְדֶּךָ חִלַּלְתָּ לָאָרֶץ נִזְרוֹ׃

41 פָּרַצְתָּ כָל־גְּדֵרֹתָיו שַׂמְתָּ מִבְצָרָיו מְחִתָּה׃

42 שַׁסֻּהוּ כָּל־עֹבְרֵי דָרֶךְ הָיָה חֶרְפָּה לִשְׁכֵנָיו׃

43 הֲרִימוֹתָ יְמִין צָרָיו הִשְׂמַחְתָּ כָּל־אוֹיְבָיו׃

44 אַף־תָּשִׁיב צוּר חַרְבּוֹ וְלֹא הֲקֵימֹתוֹ בַּמִּלְחָמָה׃

45 הִשְׁבַּתָּ מִטְּהָרוֹ וְכִסְאוֹ לָאָרֶץ מִגַּרְתָּה׃

46 הִקְצַרְתָּ יְמֵי עֲלוּמָיו הֶעֱטִיתָ עָלָיו בּוּשָׁה סֶלָה׃

맛싸성경

38(히, 89:39) 그러나 주는 주의 기름 부음 받은 자에게 크게 노하셔서 (그를) 버리셨으며 거절하셨나이다. 39(40) 주는 주의 종의 언약을 거부하셨으며 그의 왕관을 흙에 더럽혔나이다. 40(41) 주께서 그의 담들을 부수셨으며 그의 요새를 파괴해 내버려 두셨나이다. 41(42) 길을 지나가는 모든 자들이 그를 약탈하였으며 거기 사는 사람들에게 치욕이 되었나이다. 42(43) 주께서 그 대적의 오른손을 높이셨고 그 모든 원수들을 즐거워하게 하셨나이다. 43(44) 또한 주께서 그의 칼날을 돌이키시고 그가 전쟁에서 맞서지 못하게 하셨나이다. 44(45) 주께서 그의 정결함을 그치게 하셨고 그의 보좌를 땅으로 던지셨나이다. 45(46) 주께서 그의 젊음의 날들을 짧게 하셨고 그 위를 수치로 덮으셨나이다. 셀라.

NET

38(H 89:39) But you have spurned and rejected him; you are angry with your chosen king. 39(40) You have repudiated your covenant with your servant; you have thrown his crown to the ground. 40(41) You have broken down all his walls; you have made his strongholds a heap of ruins. 41(42) All who pass by have robbed him; he has become an object of disdain to his neighbors. 42(43) You have allowed his adversaries to be victorious and all his enemies to rejoice. 43(44) You turn back his sword from the adversary and have not sustained him in battle. 44(45) You have brought to an end his splendor and have knocked his throne to the ground. 45(46) You have cut short his youth and have covered him with shame. (Selah)

89 WLC

47 עַד־מָה יְהוָה תִּסָּתֵר לָנֶצַח תִּבְעַר כְּמוֹ־אֵשׁ חֲמָתֶךָ׃

48 זְכָר־אֲנִי מֶה־חָלֶד עַל־מַה־שָּׁוְא בָּרָאתָ כָל־בְּנֵי־אָדָם׃

49 מִי גֶבֶר יִחְיֶה וְלֹא יִרְאֶה־מָּוֶת יְמַלֵּט נַפְשׁוֹ מִיַּד־שְׁאוֹל סֶלָה׃

50 אַיֵּה ׀ חֲסָדֶיךָ הָרִאשֹׁנִים ׀ אֲדֹנָי נִשְׁבַּעְתָּ לְדָוִד בֶּאֱמוּנָתֶךָ׃

51 זְכֹר אֲדֹנָי חֶרְפַּת עֲבָדֶיךָ שְׂאֵתִי בְחֵיקִי כָּל־רַבִּים עַמִּים׃

52 אֲשֶׁר חֵרְפוּ אוֹיְבֶיךָ ׀ יְהוָה אֲשֶׁר חֵרְפוּ עִקְּבוֹת מְשִׁיחֶךָ׃

53 בָּרוּךְ יְהוָה לְעוֹלָם אָמֵן ׀ וְאָמֵן׃

맛싸성경

46(히, 89:47) 여호와시여! 언제까지 주께서 영영히 스스로 숨기시며 주의 노를 불같이 태우시겠나이까? **47(48)** 나와 (내) 생애가 얼마나 되는지 기억하소서. 주께서 얼마나 허무하게 사람의 아들들을 창조하셨는지 (기억하소서). **48(49)** 어떤 사람이 죽음을 보지 않고 살 수 있으며 그의 생명을 그가 셰올의 손에서부터 구할 수 있나이까? 셀라. **49(50)** 주님이시여! 주께서 다윗에게 주의 신실함으로 맹세하셨던 이전의 주의 인애가 어디에 있나이까? **50(51)** 주님이시여! 주의 종의 치욕을 기억하소서. 많은 백성들(의 치욕) 전부를 내 가슴으로 감당하나이다. **51(52)** 여호와시여! 주의 원수들이 비웃는 것은 주의 기름 부음 받은 자의 걸음을 조롱한 것이니이다. **52(53)** 여호와를 영원히 송축할 것이라. 아멘. 아멘.

NET

46(H 89:47) How long, O Lord, will this last? Will you remain hidden forever? Will your anger continue to burn like fire? **47(48)** Take note of my brief lifespan. Why do you make all people so mortal? **48(49)** No man can live on without experiencing death or deliver his life from the power of Sheol. (Selah) **49(50)** Where are your earlier faithful deeds, O Lord, the ones performed in accordance with your reliable oath to David? **50(51)** Take note, O Lord, of the way your servants are taunted and of how I must bear so many insults from people. **51(52)** Your enemies, O Lord, hurl insults; they insult your chosen king as they dog his footsteps. **52(53)** The Lord deserves praise forevermore! We agree! We agree!

COVENANT UNIVERSITY
Fulfilling the unfulfilled task through equipping missional servant leaders for Christ

목회자를 위한 **설교학 석,박사 통합 과정** 소개

1. 수업 진행

1) 월간 맛싸 31-33호를 듣기
2) 각권에 따라 원하는 본문을 원문에 근거하여 설교문을 작성하고 먼저 제출하기
3) 먼저 제출된 설교문을 컨설팅하고 완성된 설교문으로 설교하는 동영상(30분)을 촬영하여 제출하기

2. 수강 과목

1) 월간 맛싸 31호 13학점

(1) 요나(1-9회차) 2학점 - 설교 2편 작성 제출
(2) 요엘(10-21회차) 2학점 - 설교 2편 작성 제출
(3) 학개(22-28회차) 2학점 - 설교 2편 작성 제출
(4) 말라기(29-38회차) 2학점 - 설교 2편 작성 제출
(5) 오바다(39-41회차) 1학점 - 설교 1편 작성 제출
(6) 하박국(42-51회차) 2학점 - 설교 2편 작성 제출
(7) 스바냐(52-61회차) 2학점 - 설교 2편 작성 제출

2) 맛싸 32호 13학점

(1) 시편 119편(1-22회차) 2학점 - 설교 2편 작성 제출
(2) 시편 120-134편(올라가는 노래)(23-38회차) 6학점 - 설교 6편 작성 제출
(3) 시편 135-150편(39-61회차) 5학점 - 설교 5편 작성 제출

3) 맛싸 33호 13학점

(1) 룻기 (1-13회) 3학점 - 설교 3편 작성 제출
(2) 에스더 (14-48회) 3학점 - 설교 3편 작성 제출
(3) 시편 101-106편(49-62회) 3학점 - 설교 3편 작성 제출
(4) 신약 자유 본문(월간맛싸QT 내용중) 4학점 - 설교 4편 작성 제출

4) 논문 6학점 혹은 신약 자유 본문 6학점

(1) 논문 작성시 - 6학점
(2) 신약 자유 본문(월간맛싸QT 내용중) 6학점 - 설교 6편 작성 제출

3. 학비

2023년 가을학기 (8/28-12/9일까지 15주)
입학자격-학사 및 목회학 석사(Mdiv) 이상 졸업자(M.A 졸업자는 가능)
신학 석사(ThM) 45학점; 박사(DTh) 54학점; 석박사 통합 39+54=93학점
한학기 15학점; 석사 190만원; 박사 286만원
이번학기 송금처 언약성경연구소(Covenant Bible Institution)
농협 355-4696-1189-93 공식구좌

210X297mm / 62페이지 / 7,500원

왕초보 히브리어 펜습자

알파벳 따라쓰기

저자 - 허동보

Covenant University, CA
수현교회 담임목사
AP 부모교육 국제지도자
히브리어성경읽기 강사

히브리어, 어렵지 않습니다.
단지 익숙하지 않을 뿐입니다.

모든 언어는 문법보다 더욱 중요한 것이 있습니다. 바로 읽고 쓰는 것입니다.

기본에 충실합니다.

이 책은 단순합니다. 다른 알파벳 교재와 달리 읽고 쓰는 것에만 집중했습니다.
쓰는 순서, 자음과 모음의 발음, 읽는 방법 등 정말 기본적이고 기초적인 것에
집중을 했습니다.

남녀노소 누구나 할 수 있습니다.

모든 언어는 왕도가 없습니다. 처음에 말과 글을 배울 때 복잡한 문법부터 공부하는
사람은 없습니다. 이 책은 어린이, 청소년을 비롯하여 히브리어에 관심만 있다면
모든 연령이 쉽게 배울 수 있도록 집필되었습니다.

다양한 미디어로 공부가 가능합니다.

책 속에는 노트가 더 필요한 분들이 직접 인쇄할 수 있도록 QR코드를 제공하고
있습니다. 알파벳송은 따라부를 수 있도록 영상 QR코드를 제공합니다. 그 외
다양한 미디어 학습을 체험하실 수 있습니다.

정기구독신청서

20 년 월 일

<table>
<tr><td rowspan="6">신청인</td><td colspan="2">이름</td><td></td><td>생년월일</td><td colspan="3"></td></tr>
<tr><td colspan="2" rowspan="2">주소</td><td colspan="5"></td></tr>
<tr><td colspan="5"></td></tr>
<tr><td rowspan="3">전화</td><td>자택</td><td>( ) -</td><td>출석교회</td><td colspan="3"></td></tr>
<tr><td>회사</td><td>( ) -</td><td>직 분</td><td colspan="3">담임목사 / 목사 / 전도사 / 장로 / 권사 / 집사</td></tr>
<tr><td>핸드폰</td><td>( ) -</td><td>E-mail</td><td colspan="3">@</td></tr>
<tr><td rowspan="4">수취인</td><td colspan="2">이름</td><td colspan="5"></td></tr>
<tr><td colspan="2" rowspan="2">주소</td><td colspan="5"></td></tr>
<tr><td colspan="5"></td></tr>
<tr><td colspan="2">전화(자택)</td><td></td><td>회 사</td><td></td><td>핸드폰</td><td></td></tr>
<tr><td rowspan="3">신청내용</td><td colspan="2">신청기간</td><td colspan="5">20 년 월 ~ 20 년 월</td></tr>
<tr><td colspan="2">구독기간</td><td colspan="5">☐ 1년 ☐ 2년 ☐ 3년</td></tr>
<tr><td colspan="2">신청부수</td><td colspan="5">부</td></tr>
<tr><td rowspan="7">결제방법</td><td colspan="2" rowspan="3">카 드</td><td colspan="5">· 카드종류: 국민, 비씨, 신한, 삼성, 롯데, 현대, 농협, 씨티, VISA, Master, JCB</td></tr>
<tr><td colspan="5">· 카드번호: - - - · 유효기간: /</td></tr>
<tr><td colspan="5">· 소유주: · 일시불/할부 개월</td></tr>
<tr><td colspan="2" rowspan="3">온라인</td><td colspan="5"></td></tr>
<tr><td colspan="5"></td></tr>
<tr><td colspan="5"></td></tr>
<tr><td colspan="2">자동이체</td><td colspan="5">CMS</td></tr>
<tr><td>메모</td><td colspan="7"></td></tr>
</table>

정기구독 문의 및 안내 070-4126-3496

월간 맛사